Les Éditions du Boréal
4447, rue Saint-Denis
Montréal (Québec) H2J 2L2
www.editionsboreal.qc.ca

LA RÉVOLTE

DU MÊME AUTEUR

Le Toucan, Boréal, coll. « Boréal Inter », 2011.

Destins croisés, Boréal, coll. « Boréal Inter », 2013.

Le Baiser du lion, Hurtubise, coll. « Atout », 2013.

NOTE DE L'AUTEUR

L'histoire racontée dans ce livre tient compte de la situation politique du Myanmar à l'automne 2011.

Élizabeth Turgeon

LA RÉVOLTE

Boréal

© Les Éditions du Boréal 2012
Dépôt légal : 1ᵉʳ trimestre 2012
Bibliothèque et Archives nationales du Québec

Diffusion au Canada : Dimedia
Diffusion et distribution en Europe : Volumen

*Catalogage avant publication de Bibliothèque et Archives nationales du Québec
et Bibliothèque et Archives Canada*

Turgeon, Élizabeth, 1951-

 La révolte

 (Boréal inter ; 60)
 Pour les jeunes.

 ISBN 978-2-7646-2156-1

 I. Titre. II. Collection : Boréal inter ; 60.

PS8639.U728R48 2012 jC843'.6 C2012-940006-8
PS9639.U728R48 2012

ISBN PAPIER 978-2-7646-2156-1
ISBN PDF 978-2-7646-3156-0
ISBN ePUB 978-2-7646-4156-9

À Eve, Léa et David

1

Mardi matin, 7 heures 5 minutes.

Zack Martin ferma le robinet et continua de se brosser les dents en se regardant dans le miroir.

Il n'aimait pas ce qu'il voyait : une face de bébé sur un corps trop grand, trop mou. Peu de muscles, un menton plus pointu que carré. Une tignasse frisée qu'il n'arrivait pas à lisser. Zack avait beau tirer sur ses cheveux, les enduire de gel, ils bouclaient.

— Ce garçon ensorcellera toutes les filles ! s'exclamait sa mère en passant sa main dans ses cheveux. Regardez-moi ces belles boucles !

Rien que d'entendre le mot « boucle » le hérissait.

En réalité, il n'avait rien pour ensorceler qui que ce soit. Une tête ordinaire. À peine quelques poils. Même pas assez pour le rasoir.

Zack se rapprocha du miroir jusqu'à ce que son souffle s'imprime sur la surface et fasse disparaître peu à peu sa peau d'ado qu'il détestait. Au fond, il s'en fichait d'être laid, car la seule fille qui l'intéressait ne le regardait même pas.

— Maude, Maude…

Son prénom tombait tristement de ses lèvres.

Parfois, Zack devenait visible à ses yeux. Elle s'exclamait alors, à la façon de ses parents :

— Zack, tu es un génie !

— Merci, Maude. Bien sûr, Maude.

Elle avait adoré la pièce de théâtre qu'il avait fini d'écrire trois semaines plus tôt. Elle s'intitulait *Le Piège* et se déroulait dans une cabine d'essayage. L'antichambre du rêve, des désirs, des espoirs et des désenchantements.

Les comédiens y défilaient dans des costumes qui reflétaient les dernières tendances de la mode. Ils s'observaient un moment devant un miroir, puis exprimaient à voix haute leurs frustrations : seins trop petits, ventre trop gros, hanches trop larges… Parfois, un second personnage interrompait le monologue :

— C'est beau ce truc-là, mais ce n'est pas « toi ».

— Tu parais encore plus grosse dans cette robe…

— Super, ce chapeau, mais… ce n'est pas ton genre.

— Franchement, tu as les jambes trop courtes pour porter ça !

Zack avait entendu ce genre de commentaires dans les boutiques du centre-ville. Il avait alors eu l'idée d'écrire cette pièce de théâtre. C'était une réflexion sur l'importance qu'on accorde au jugement des autres. Sur la manière de se construire une personnalité à l'abri de ceux qui cherchent à vous coller une identité qui n'est pas la vôtre.

Le Piège tendait vers un idéal de liberté, mais Zack savait que, pour sa part, il en était encore loin. Il n'arrivait même pas encore à se voir comme un adolescent normal avec un physique adapté à son âge. Comme si la transformation de son corps avait été si soudaine qu'il n'avait pas eu le temps de s'y ajuster.

Il avait présenté sa pièce devant les élèves de son cours de français. À la fin de l'exposé, Maude avait levé la main et suggéré :

— Et si on mettait en scène ta pièce de théâtre ?

Voyant la surprise de Zack, elle avait ajouté :

— Tu as raison : les cabines d'essayage sont des pièges. On ne devrait pas se laisser influencer par ceux qui veulent décider ce qu'on doit porter et à quoi on doit ressembler.

— Je suis d'accord, avait ajouté Étienne haut et fort du fond de la classe. La mode est une dictature. On nous pousse collectivement à penser et à faire la même chose.

— Et c'est anti-écologique, était intervenu Henri qui, normalement, ne se sentait jamais concerné par les discussions en classe. On change de vêtements alors que les autres ne sont pas usés. Les tissus viennent du tiers-monde. Ils sont transportés jusqu'ici par bateau. Un vrai gaspillage de ressources… Le pire, c'est le coton. Pour le cultiver, on emploie le quart de TOUS les pesticides utilisés sur la planète !

Le professeur de français avait été surpris et heureux de constater que ses élèves se posaient des questions sérieuses à partir d'une pièce de théâtre.

— Vous savez, commenta-t-il, Oscar Wilde disait : « La mode est une forme de laideur si intolérable qu'il faut en changer tous les six mois[1]. »

Tous avaient éclaté de rire.

Finalement, Maude avait insisté :

— On va monter ta pièce pour le spectacle de fin d'année. D'accord ? Et je veux absolument jouer dedans !

— Bien sûr… lui avait-il enfin répondu en bafouillant. Je te garde le rôle principal.

Il avait cru qu'elle s'intéresserait dorénavant à lui. Mais non, c'eût été trop facile.

Zack s'assit au bord du bain, la brosse à dents toujours coincée entre ses mâchoires. Il appuya ses coudes sur ses genoux et prit sa tête entre ses mains.

En théorie, il avait compris qu'il ne suffisait pas d'impressionner quelqu'un pour en être aimé. Mais, en pratique, il ne trouvait rien d'autre pour épater les filles. Il

---

1. Oscar Wilde (1854-1900). Écrivain irlandais. Esthète volontiers provocateur, il a écrit entre autres *Le Crime de Lord Arthur Saville* et *Le Portrait de Dorian Gray.*

avait d'ailleurs une longue expérience dans ce genre de comportement.

Toute son enfance, il s'était appliqué à impressionner ses parents, car ils s'intéressaient à lui uniquement s'il obtenait de bonnes notes à l'école ou s'il faisait étalage de ses connaissances comme un petit singe savant. Alors, depuis l'âge de sept ans, il lisait tout et mémorisait les informations qui lui paraissaient intéressantes.

Longtemps, son monde intérieur lui avait semblé un écosystème ordonné, avec ses souvenirs, ses repères familiaux, sa masse de connaissances bien classées, ses préférences musicales, littéraires, et toutes les valeurs culturelles qui lui étaient propres.

Maintenant, Zack avait quinze ans et il en avait marre de cette vie consacrée à l'étude et à la performance.

Ses prétendus « amis », il ne les voyait que les jours d'école, à l'heure du dîner ou pendant les récréations. Ils habitaient tous le Plateau, Rosemont, le Mile-End ou Outremont, et se rendaient visite les uns aux autres en vélo. Zack habitait l'Île-des-Sœurs. À cause de la distance, il devait faire ses travaux d'équipe via Internet. Il ne pourrait même pas participer aux répétitions de la pièce de théâtre parce qu'elles auraient lieu le soir.

Zack n'était jamais arrivé à s'intégrer dans un groupe.

À l'Île, il avait toujours refusé d'aller jouer au parc ou de se baigner à la piscine avec les jeunes de son âge. Le sport, ce n'était pas pour lui. Sauf le vélo, pour se mettre en forme, en solitaire.

Quand on lui téléphonait, le plus souvent il demandait à ses parents de répondre qu'il n'était pas là. Il n'était jamais allé à un party d'anniversaire. Pour le sien, ses parents invitaient leurs propres amis. Ils ne recevaient jamais d'enfants. À cause des tapis. Ils étaient blancs.

Maintenant, Zack avait envie d'être en gang, de dire des niaiseries avec les autres, de faire des bêtises. De « déconner », quoi ! Mais il ne savait tout simplement pas comment.

Plus personne ne lui parlait réellement, sinon pour obtenir des renseignements. Là encore, il hésitait. Lorsqu'il avait à peu près huit ans, son père l'avait surpris au téléphone en train de donner un coup de main à un copain de la classe pour son devoir de mathématiques.

— Si tu l'aides, il pourrait bien te dépasser, lui avait dit son père.

Il avait alors saisi que la vie n'était que compétition.

« Est-ce nécessairement le cas ? » se demandait-il depuis quelque temps. Et s'il n'avait plus envie d'être le meilleur ? Tout ce qu'il désirait, maintenant, c'était d'être avec les autres. Être bien, juste entre copains.

Est-ce qu'il était trop tard ? Il en avait bien peur, ayant déjà été étiqueté et catalogué « surdoué asocial ».

Le miroir lui renvoyait l'image d'un solitaire minable, raté.

Zack n'était pas dupe. Il avait déjà compris que sa vie l'entraînait inexorablement à devenir de plus en plus brillant et de plus en plus seul. Si au moins il n'avait pas eu conscience de tout ce gâchis…

Heureusement, quelques jours plus tôt, il avait décidé de mettre un terme à cette situation.

Zack se leva et se regarda une dernière fois dans la glace. Le reflet de son visage le dégoûtait. La pâte dentifrice coulait à la commissure de ses lèvres, qu'il retroussa en grognant.

« Mauvaise journée.

« Encore. »

Pendant ce temps, Mathilde Dumais contemplait du haut de leur vingtième étage sur l'Île-des-Sœurs le centre-ville de Montréal. Le temps était à la pluie.

Elle s'assit à la table de la cuisine et entreprit, tout en déjeunant, de lire les derniers courriels reçus la veille.

Son mari, François Martin, faisait de même.

Parfois l'un d'eux commentait ce qu'il lisait.

— Je lui ai déjà donné tous les documents dont il a besoin. Tu verras, dit Mathilde à François, trop occupé pour lui prêter attention, la Ville nous refusera encore le permis.

Dans la pièce d'à côté, la radio crachait des nouvelles que personne n'écoutait. Absorbés dans leur lecture, les parents de Zack ne l'avaient pas vu entrer dans la cuisine. Leur fils les observa un moment : une bouchée de céréales, et c'était reparti sur l'ordinateur.

Déçu, Zack ouvrit la porte du réfrigérateur et en sortit un melon miel qu'il coupa en deux et épépina. À l'aide d'une petite cuillère, il en creusa une moitié tout en façonnant des boules qu'il déposa au fond d'un bol transparent. Il les recouvrit ensuite de yogourt et d'une mince couche de céréales. Il ajouta quelques tranches de bananes, des quartiers de pommes et de nouveau des boules de melon. Pour finir, Zack dispersa dans le bol une poignée de raisins secs, quelques amandes et des graines de tournesol et nappa le tout de sirop d'érable. En guise de décoration, il ouvrit une petite clémentine juste assez pour former une fleur et la déposa au milieu du bol.

Zack adorait tout ce qui touchait à la cuisine.

L'envie lui prit de montrer son chef-d'œuvre à ses parents, mais un coup d'œil lancé dans leur direction l'en dissuada.

Il s'assit seul, sur le tabouret du comptoir de la cuisine, et s'attaqua méthodiquement à son petit-déjeuner. Chaque bouchée devait offrir un mélange différent de saveurs.

« Mauvaise journée, pensa-t-il, mais bon déjeuner. »

Sa mère pitonnait toujours sur son ordinateur lorsqu'elle déclara subitement :

— Je suis fatiguée de notre relation, François. Ça ne nous mène nulle part !

— Où veux-tu que ça nous mène, bon Dieu de bon Dieu ?

Quand son père perdait si vite patience, ce n'était pas bon signe.

Plutôt que de saisir le signal, sa mère renchérit :

— On ne fait jamais rien ensemble.

— Qu'est-ce que tu veux qu'on fasse ensemble ? hurla presque François. Je travaille douze heures par jour. Toi aussi. On économise pour les études de Zacharie, pour la retraite… On dépense pour se gâter parce que…

Il continua en chantonnant sur le même ton qu'aurait pris Mathilde :

— … il faut bien en profiter un peu, on travaille tellement !

Il inspira profondément, ce qui n'était pas de bon augure non plus :

— Ta garde-robe, articula-t-il, dans une colère bleue, contient au bas mot cinq cents paires de chaussures toutes plus chères les unes que les autres. Il te faut des vêtements de grandes marques pour évoluer dans la société la plus huppée de Montréal…

— Un instant, l'interrompit Mathilde. Et qui voulait l'Audi décapotable ?

— Tu me reviens avec ça ? s'offusqua François.

— Je vais lâcher l'école, intervint Zack pour détendre l'atmosphère.

Sa mère, surprise, se tourna vers lui avec un sourire aussi faux que la couleur de ses cheveux.

— Zacharie, qui voulait l'Audi ?

Il détestait quand elle essayait de le prendre à témoin pour défendre ses propres intérêts. Invariablement, il se retrouvait coincé entre ses deux parents.

Quelque chose lui parut changé chez sa mère. Il l'observa un peu plus attentivement et décela un léger gonflement de sa lèvre supérieure. Elle avait sans aucun doute reçu une nouvelle injection de Botox. La toxine botulique allait sous peu la transformer en poupée gonflable.

« S'ils utilisaient de l'hélium, se dit Zack, au moins ce serait rigolo. »

Mathilde Dumais lança le rire cristallin auquel elle s'exerçait sans doute sous la douche tellement il paraissait vrai.

— Oh ! Bonjour chéri, roucoula-t-elle comme si elle avait oublié qu'elle s'était déjà adressée à lui.

— Oh ! Bonjour chéri, reprit son père quelques tons plus bas, mais suivant la même ligne mélodique.

De toute évidence, ils ne l'avaient pas entendu, ou plutôt écouté.

Ça arrivait souvent.

Un matin qu'ils clavardaient chacun de leur côté, il leur avait dit d'un ton normal :

— J'ai allumé un feu dans ma chambre. Il fait tellement froid, ce matin…

On lui avait répondu :

— Oh ! Bonjour chéri.

— Oh ! Bonjour chéri.

Il tenta une nouvelle approche. Il commença par s'éclaircir la gorge comme le font les personnes importantes avant de dire quoi que ce soit.

— Avez-vous reçu mon bulletin ?

— Bien sûr, chéri, lui répondit sa mère de nouveau épanouie comme une marguerite au soleil. Toutes NOS félicitations.

Elle appuyait exagérément sur le mot *nos* en constatant que son mari n'avait pas daigné lever la tête. « Il se contrefiche de son fils, celui-là. »

C'était clair. Les parents de Zack n'avaient même pas ouvert l'enveloppe. Sinon… sinon… leur belle Île aurait tremblé, et tout ce bazar minutieusement rangé au bon endroit, ces maisons impeccables, ces condos tout neufs qu'ils adoraient visiter, ces rues bien entretenues, ces arbres au garde-à-vous, toute cette perfection qui l'agaçait et que ses parents adulaient, aurait à jamais été entachée… parce que leur fils bien-aimé, Zacharie Martin, avait ÉCHOUÉ.

« Nous n'avons aucun problème avec notre fils, il est si brillant », aimait répéter sa mère, sur le ton que sa grand-mère employait quand elle récitait son chapelet. « Zacharie qui vis dans l'Île, que ton nom soit sanctifié… »

Son père piochait littéralement sur le clavier de son ordinateur. Encore un dossier qui ne pouvait pas attendre son retour au bureau. Ces choses-là étaient importantes. La dernière fois qu'il avait adressé la parole à Zacharie remontait à plus de trois semaines, et ç'avait été pour lui refaire son discours habituel :

— Je veux que tu réussisses mieux dans les sports. Tu dois encore tenter de te faire accepter dans l'équipe de hockey du collège.

Pour lui faire plaisir, Zacharie avait essayé. Le problème, c'est qu'il ne savait pas patiner. Il n'avait jamais patiné pour le plaisir. Il n'avait jamais rien fait juste pour le plaisir.

Se surpasser, être le meilleur. C'est la seule chose qu'il connaissait. Pendant longtemps, Zack s'était passionné pour tout ce qui pouvait être pensé, décortiqué, analysé, mémorisé. Il avait vécu sa vie en occupant chaque seconde de son temps. Son esprit avait une soif insatiable de connaissances.

« Il y a bien des hommes-orchestres », se disait-il. Eh bien, il serait l'homme-cirque : jonglant avec des théories sur l'antimatière, s'élançant du trapèze mathématique pour concevoir de nouvelles équations compliquées. Il soulèverait le poids de théories immuables pour montrer du doigt le caillou caché qui modifie la donne. Il cracherait le feu de son intelligence, enflammerait les cerveaux. Son sens de l'humour et ses mots d'esprit seraient uniques...

C'est ainsi qu'il espérait être apprécié et admiré de tous. Mais, dans la réalité, ça ne se passait pas comme ça.

Le nez toujours collé sur son ordinateur, son père grogna :

— Maudite machine !

Il ne se sentait pas concerné par son fils, Zacharie, l'enfant invisible.

Zack le haïssait de toutes ses forces. Quand il voyait un garçon de son âge discuter avec son père, il se demandait de quoi ils pouvaient bien parler. Avaient-ils des choses en commun ? Est-ce que le fils satisfaisait aux exigences de son père ? Y avait-il une zone de confort entre les deux ?

Quant à sa mère, elle lui paraissait tellement superficielle qu'il ne se posait même pas la question.

Écœuré, Zack laissa son déjeuner en plan et attrapa son sac à dos.

Il n'avait pas envie qu'on le reconduise à l'école. Il prendrait l'autobus. C'était si pratique, l'Île, quand on étudiait dans le meilleur collège privé de Montréal ! Juste une petite heure pour l'aller et une autre pour le retour, coincé dans un bus hyper bondé.

Longtemps, il avait profité de ces déplacements pour lire, étudier, apprendre, réfléchir.

Trop longtemps.

2

— Je n'aime pas quand on se dispute devant Zacharie, disait Mathilde en allumant la radio dans l'Audi de son mari.

François jeta un coup d'œil à sa femme en émettant un bruit qui pouvait être pris pour un acquiescement. Puis il s'enquit, pour la forme, des résultats scolaires de son fils.

— Il était comment, ce bulletin ?

— Comme d'habitude, j'imagine, répondit distraitement Mathilde en rectifiant son maquillage dans le miroir intégré au pare-soleil. Des « A » presque partout, sauf en éducation physique. C'est toujours plus ou moins ça, non ?

— Tu ne l'as même pas regardé, mère indigne ! s'exclama François, mi-sérieux, mi-blagueur.

Une fine pluie commençait à tomber. Il mit les essuie-glaces en marche.

Sa femme avait raison. Il ne fallait pas qu'ils se disputent devant Zacharie. Il valait mieux montrer qu'ils formaient un couple uni, même si…

— Au fait, tu te souviens que je pars bientôt pour le Myanmar ?

— Tu veux dire la Birmanie ? corrigea Mathilde.

— Chérie, les militaires ont changé le nom du pays en 1989 pour Myanmar. Par contre, je t'accorde qu'il y a encore certaines personnes qui hésitent à utiliser le nouveau nom.

— Oui, acquiesça sa femme, mais on dit encore les Birmans…

— Pour désigner l'ethnie majoritaire… précisa François.

— Et la langue, on l'appelle le birman, renchérit Mathilde.

— Tu as raison, 80 % de la population du pays parle le birman, mais on y trouve aussi plus d'une centaine de dialectes et de langues mineures.

— Et, si ce n'est pas trop indiscret, que vas-tu faire au Myanmar ?

— Deux choses. Premièrement, inspecter incognito le site du futur barrage hydroélectrique de Myitsone. Un organisme d'aide internationale a mandaté notre firme d'ingénieurs pour évaluer l'impact de la construction du barrage sur l'environnement.

— Pourquoi toi ? interrompit Mathilde.

— Parce que je suis un ingénieur spécialisé en hydroélectricité, rien de plus, répondit François Martin en accompagnant ses mots d'un soupir d'exaspération.

Deuxièmement, je vais au Myanmar rencontrer mon ami U Tin Maug, un ancien camarade de classe. Il m'a envoyé une lettre me disant qu'il devait absolument me parler. J'ai bien peur qu'il soit dans de beaux draps.

— Il aurait pu te téléphoner, suggéra Mathilde.

— C'est compliqué. Le Myanmar est un pays où on ne peut pas s'exprimer librement.

François demeura un moment songeur, puis reprit :

— Enfin… Je cherchais à te dire que je prends l'avion dans deux semaines, précisa-t-il.

— Tu ne seras pas ici pour Noël ! s'exclama sa femme.

— Non, et ça me laisse totalement indifférent. C'est si ennuyeux, chez ta mère ! Toujours la même chose : dinde, patates pilées, pâtés, décorations défraîchies. La même famille qui me tombe sur les nerfs.

— Merci, articula Mathilde, indignée. Et ton fils, dans tout ça ?

Conscient d'avoir dépassé les bornes, François saisit l'occasion pour changer le sujet de la discussion.

— Au fait, tu l'as, ce bulletin ?

— Oui, dans mon sac.

François éteignit la radio.

On n'entendait plus que le tic-tac des essuie-glaces, qui devaient avoir besoin d'un ajustement. Mathilde trouva l'enveloppe, sortit ses lunettes et referma son sac.

Le bruit du papier qu'on déchire couvrit un instant celui des essuie-glaces.

— Oh ! mon Dieu ! s'écria Mathilde, une main devant la bouche.

Elle restait interdite et fixait le papier.

— Qu'est-ce qu'il y a, Mathilde ? Un « C » ?

— Il a des « E » ! Partout ! Attends, je regarde en bas de la page… « E », ça veut dire : « échec ».

— Échec ? répéta François en riant. C'est sans doute une erreur.

Il se tourna vers sa femme et constata que ses mains tremblaient.

— Il y a aussi une lettre du directeur. Il veut nous voir.

3

— Une femtoseconde correspond à un millionième de milliardième de seconde. La femtoseconde est l'unité de temps caractéristique des vibrations des atomes dans les molécules.

Le professeur interrompit son cours. Décidément, ce mardi matin gris et pluvieux rendait les élèves insupportables. Cette fois-ci, il était dérangé par le jeune et brillant Zacharie Martin, qui semblait donner une conférence à l'arrière de la classe.

— Zacharie, peut-on observer un électron dans ce court laps de temps ?

Le silence s'installa enfin dans la classe. Zack secoua sa tignasse en se retournant vers M. Tremblay et répondit nonchalamment :

— Non. Les électrons voyagent plus vite. Il faut des flashs d'attosecondes pour les observer.

Zack regretta aussitôt sa réponse. Il aurait dû se taire. Mais ça s'était passé trop vite. Comme un réflexe. Il devait faire attention et garder en tête ses résolutions.

Aussitôt la réponse fournie, le jeune homme se

retourna vers ses amis et reprit la discussion sans prendre la peine de baisser la voix.

— Zacharie Martin!

— Ouais.

— Dehors! cria le professeur, surpris par le comportement inhabituel de cet élève, ordinairement un modèle de discipline.

— Avec plaisir, acquiesça Zack en se levant avec fracas et en empilant ses livres, cahiers, crayons, règle et chandail sur son sac.

Les bras ainsi chargés, il sortit avec peine de la classe, jeta ses affaires sur le plancher du corridor en produisant à dessein un vacarme monstre, puis il claqua la porte derrière lui.

Henri, Maude, Étienne et Véro, avec qui il conversait quelques secondes auparavant, étaient éberlués.

— Qu'est-ce qui lui arrive? demanda Étienne à Véro. Ça ne lui ressemble pas.

— Je n'en sais rien.

— Toi, Maude, tu sais quelque chose? l'interrogea Henri.

Le professeur, exaspéré de voir les quatre adolescents continuer à perturber la classe, ordonna:

— Vous quatre, dehors aussi! Vous reviendrez lorsque vous serez prêts à écouter le cours.

Ils sortirent doucement rejoindre Zack dans le corridor.

Occupé à remettre ses affaires dans son sac, celui-ci restait silencieux.

— À quoi ça sert de produire des flashs aussi courts ? lui demanda Maude, pour l'amadouer. Elle savait qu'il aimait faire étalage de ses connaissances.

— C'est utile si tu veux photographier quelque chose qui voyage à grande vitesse. Par exemple, une balle sortant d'un revolver, répondit Zack en riant.

Étienne restait debout alors que les autres s'étaient assis par terre avec Zack.

— Je ne suis pas un petit génie comme toi, Zack, dit-il, de mauvaise humeur. Je ne peux pas me permettre de rater mes cours et de pourrir dans cette école une autre année. Moi aussi, je veux entrer au cégep en septembre prochain.

— Pas moi, annonça Zack.

— T'es complètement malade ! s'indigna Maude.

— Il blague, intervint Étienne. Il a toujours des « A » partout. Il peut entrer dans n'importe quel cégep les doigts dans le nez.

— Veux pas aller au cégep, marmonna Zack en attaquant un gigantesque sandwich. Je lâche l'école. Veux même pas finir mon secondaire 5.

Zack mâchait son sandwich avec satisfaction sous les regards étonnés de ses copains. C'était étrange. Le seul fait de leur annoncer la nouvelle semblait faire de lui une autre personne, moins coincée.

— Je ne te crois pas, déclara Henri, estomaqué.

— Moi non plus, renchérit Véro.

— J'ai répondu tout faux dans les derniers examens. Je ne veux pas revenir en janvier.

Maude paraissait la plus touchée des quatre par sa décision.

Elle regardait au loin en se disant que Zack avait beau être l'élève le plus brillant de la classe, c'était le pire mésadapté social qu'elle connaissait. Il lui avait d'ailleurs donné envie d'étudier en psychologie. Pour comprendre comment on pouvait en arriver à perdre autant le contact avec les autres.

Surpris par l'attitude de Maude, Zack reprit :

— Pourquoi je finirais mon secondaire 5 ? Il n'y a rien qui m'intéresse dans les études. J'en ai marre. En savoir un peu plus ou un peu moins, qu'est-ce que ça donne ?

Il se tourna vers Étienne, toujours debout à côté du groupe.

— Je te donne mes notes de cours. Avec ça, tu pourras passer tes examens facilement. Je n'en aurai plus besoin.

Il marqua une pause, cherchant les mots appropriés. Étienne s'assit à côté de lui.

— J'ai remarqué que tu te compliques les choses, Étienne, quand tu étudies. Prends les trucs un par un. Ne cherche pas à comprendre du premier coup. Travaille par étapes. Fais des plans. Résume dans tes propres mots. Dessine dans les marges. T'es aussi intelligent que moi, c'est juste que tu ne te concentres pas assez. Essaie d'entrer dans ce que tu étudies.

Zack fouilla dans son sac et en sortit ses cahiers un à un : mathématiques, physique, français, biologie. Il les empila et les tendit à Étienne :

— Fais comme je te dis. Tu verras, ça va marcher.

— Je ne suis pas certain d'en être capable, répondit Étienne en palpant la pile de cahiers. En tout cas, merci. Tu me donnes un méchant coup de main.

— Quand tu composes un rap, reprit Zack, fais-tu quelque chose d'autre en même temps ?

— Mais non, dit Étienne en riant.

— T'écris une phrase. Tu cherches la rime. T'écris l'autre phrase. Et tu regardes la télé en même temps ?

— Non.

— Alors, tu vois, c'est simple. Fais la même chose quand tu étudies. Ça va te prendre deux fois moins de temps et tu vas réussir deux fois mieux. Je te donne mes trucs, *gratos* !

Maude se mordillait la lèvre inférieure, les yeux à demi fermés. Elle n'en revenait pas de voir Zack se préoccuper tout à coup des autres. Est-ce qu'elle se serait trompée à son sujet ?

— Et ta pièce de théâtre, on pourra quand même la jouer ? murmura-t-elle finalement.

Zack eut le souffle coupé. Il se demanda si Maude ne le faisait pas marcher.

Depuis quatre ans, il faisait tout pour qu'elle le remarque, et voilà qu'elle s'attristait parce qu'il ne voulait pas continuer à étudier.

— Oui, vous pourrez la jouer. Je viendrai vous donner un coup de main pour la mise en scène.

— Tu ne veux même pas finir ton secondaire 5 ? insista Maude. Tu ne peux rien faire d'intéressant, dans la vie, sans secondaire 5.

— Mes parents vont faire une crise cardiaque, ricana Zack en secouant la tête.

« Je vois… pensa Maude. Il y a quelque chose là-dessous. »

— La seule personne que j'ai de la peine de décevoir, c'est Mme Monarque, expliqua Zack en se levant.

— C'est la vieille dame de Verdun pour qui tu fais des courses de temps en temps ? demanda Véro.

— Oui. Je suis bien, avec elle. Je lui parle, elle écoute. Jamais de questions. Jamais de sermons. Toujours des biscuits, des beignes, des gâteaux… rien que des trucs calorifiques. Elle a des tonnes de livres super intéressants. J'en pointe un, et elle me raconte l'histoire. Je lui ai installé un ordinateur. Maintenant, elle clavarde sur le Net avec ses vieilles amies qui vivent en Australie. Elle a voyagé partout dans le monde. Elle parle six langues. Et quand une personne se vante de quelque chose, elle fait semblant qu'elle ne connaît rien de rien. Je l'adore. Si je pouvais vivre avec elle, je le ferais.

— Je ne savais pas que tu avais une amie comme ça, s'étonna Maude en se disant qu'il était décidément temps de changer d'opinion sur Zacharie Martin.

— Au début, je faisais ses courses parce qu'elle me donnait de l'argent pour ça. Puis, j'ai pensé qu'elle était peut-être pauvre. Alors je prends quand même l'argent, mais je lui achète plus de nourriture, des revues, parfois des livres. Elle veut toujours me donner plein de choses. Elle m'a fait découvrir la musique classique, puis le blues, le jazz. Imaginez : elle fréquentait Harlem à l'époque de Duke Ellington.

— C'est qui, ça ? demanda Étienne.

— Un compositeur de jazz américain… Elle a aussi connu Ernest Hemingway à Key West, en Floride, et même Gabrielle Roy à Paris…

— Je viens juste de finir *La Détresse et l'Enchantement,* s'exclama Maude. C'est un bon livre.

— Oui, renchérit Zack, et Mme Monarque a rencontré plein d'autres gens célèbres. Elle est super intéressante.

Personne n'avait jamais vu Zacharie Martin aussi volubile.

— C'est la personne la plus importante dans ma vie. On aime les mêmes choses. Vous devriez voir sa collection de tableaux. Elle a une toile de Riopelle qui ressemble à un champ de couleurs. Chacune des teintes me rappelle une plante vivante. C'est fascinant. Les bleus, les jaunes et les rouges s'envahissent les uns les autres et se reproduisent en verts, oranges et violets, du plus pâle au plus foncé. Elle a aussi un Lemieux qui représente une scène d'hiver. On a l'impression de sentir le vent glacé souffler à travers la toile.

Il marqua une pause, puis continua en gesticulant d'excitation. Maude, Véro, Étienne et Henri étaient suspendus à ses lèvres.

— Je vous jure… ces tableaux ont tous quelque chose d'unique. Quand je les regarde, je ne peux pas m'empêcher de rentrer dedans. C'est comparable à la musique. Vous savez, lorsqu'on devient totalement hypnotisé par un rythme ? Là, c'est la vue qui nous entraîne ailleurs.

Zack demeura un instant songeur. Puis, contre toute attente, il éclata de rire.

— Mme Monarque fait tellement « bande dessinée » ! Elle est toute petite, rondelette, avec des cheveux blancs et raides qui tombent en bas de ses oreilles et une paire de vieilles lunettes rondes à la John Lennon sur le nez. Elle n'a jamais le temps de les laver, alors on a du mal à voir ses yeux au travers. Et comme elles glissent sans arrêt, elle passe son temps à les redresser. Son visage est totalement éveillé. Ses rides se sont fixées comme des sourires superposés. Je l'aime tellement… On dirait une vieille gnome sortie d'un livre ancien.

De plus en plus étonnée, Maude regardait Zack. Elle n'aurait jamais pu imaginer qu'il puisse être aussi passionné envers un être humain. Pour la chimie, la physique, ça oui. Souvent il s'enflammait. Mais jamais pour une personne.

— Mme Monarque a une mémoire phénoménale, poursuivit Zack, surpris lui-même de pouvoir communiquer tout à coup si facilement. Elle utilise ses connaissances pour tenter d'expliquer le comportement des gens, l'évolution de la société, les raisons pour lesquelles nous menons ce genre de vie et pas un autre. Je crois qu'elle saura comprendre pourquoi je lâche l'école.

Il referma son sac.

— D'ailleurs, je vais passer la voir, annonça-t-il en se levant.

— On se téléphone ? suggéra Henri.

— Et tu nous expliqueras pourquoi tu lâches l'école ? demanda Étienne.

— Peut-être, répondit Zack avant de s'éloigner au pas de course et de disparaître.

4

— Merci, monsieur le directeur, de nous recevoir si rapi-dement, dit François Martin en entrant dans le bureau en compagnie de son épouse.

Ils n'étaient pas encore assis que Mathilde Dumais prenait la parole, empruntant à dessein un ton hautain.

— Ce matin, alors que nous roulions en direction du centre-ville de Montréal à bord de notre nouvelle Audi, nous avons pris connaissance du bulletin de Zacharie. De toute évidence, il s'agit d'un malentendu. Notre fils est un premier de classe. Il pourrait probablement en apprendre aux professeurs de cette école.

« Mauvais début », se dit François Martin. Sa femme pouvait vraiment être stupide, parfois. Il devait à tout prix réorienter cet entretien pour donner une meilleure impression au directeur.

Après s'être raclé la gorge et tout en affichant un sou-rire gêné, il déclara d'un ton calme :

— Monsieur le directeur, je doute que ce bulletin représente la réalité. Comme je vous le disais au téléphone, une erreur s'est sans aucun doute produite lorsque votre secrétaire a entré les données dans le système informatique. Zacha…

— Zacharie est un ange, l'interrompit Mathilde d'une voix pointue, en se glissant sur le bout de sa chaise. Jamais un mot de trop, il fait toujours sa chambre, étudie sans qu'on le lui demande… Il est réglé comme une Rolex.

Satisfaite de son intervention, elle s'appuya au dossier avec un sourire de contentement.

François Martin secoua la tête. Comment avait-il pu épouser un pareil moineau ? Il tenta une fois de plus de réorienter la discussion.

— Mais non, reprit-il, ce n'est pas un garçon parfait. Il est plutôt… comment dirais-je ? Mou. Oui, il est mou.

— Tu es fou ? s'exclama sa femme en le dévisageant. Notre fils, « mou » ? Ça ne va pas dans ta tête ?

Mathilde Dumais avait complètement oublié où elle se trouvait.

— Il est aussi empoté que toi, lui répondait maintenant son mari, sans se soucier de l'escalade d'insultes qui devenait inévitable. Ce garçon est incapable de tenir un bâton de hockey. De toute façon, il tient à peine debout sur ses patins. Le ballon de soccer est trop petit pour lui. Il ne le voit même pas !

Le directeur s'était levé sans bruit et avait disparu par

la petite porte qui se trouvait derrière son bureau. Les parents de Zacharie n'avaient pas remarqué.

— Ne pas être sportif ne veut pas nécessairement dire qu'on est mou, reprit sa femme. Regarde-toi : tu es mou, et pourtant tu fais plein de sport.

— Tu es stupide, Mathilde !

— Ton fils… tu ne le connais pas. À quand remonte la dernière fois où tu as fait quelque chose avec lui ?

François réfléchissait. Mathilde, les yeux braqués sur lui, ricanait.

— Je vais te le dire, dit-elle enfin, voyant que son pauvre mari était incapable de s'en souvenir. Zacharie avait quatre ans. Tu l'as emmené au hockey.

— Oui, tu as raison, sourit François en se rappelant l'événement. Il a saigné du nez, et on a dû sortir en plein milieu du match. On était dans les séries, c'était la partie la plus importante de la saison, et…

Il se tourna vers le directeur pour le prendre à témoin. Il n'y avait plus personne.

5

Mardi, 16 heures 40 minutes.

Pour la cinquième fois, Zack fit le tour de la petite maison de Mme Monarque et regarda à travers chaque fenêtre. Elle devait être là puisqu'elle ne sortait pratiquement jamais. Surtout pas le mardi. C'était la journée de ses rendez-vous Internet.

Il retourna sonner à la porte principale. Aucune réponse.

Le garçon s'assit sur le perron, la tête dans les mains, et attendit. « Elle est peut-être allée chez le médecin ou à la banque », se disait-il. Il avait tellement envie de lui raconter sa discussion avec Maude, Véro, Étienne et Henri. Elle souhaiterait peut-être les rencontrer. Ce serait super !

Elle pourrait même jouer dans la pièce *Le Piège*. « Je lui écrirais un petit rôle, songeait-il. Ce serait le seul personnage de la pièce satisfait de son image. Elle serait positive, se contentant de ce que la vie lui offre. »

Zack était certain que Mme Monarque serait heureuse de se joindre aux autres comédiens. Elle était tellement cool !

6

Les parents de Zacharie sortirent du bureau du directeur et s'adressèrent à une personne qui semblait être sa secrétaire.

— Nous étions dans son bureau et il a tout simplement disparu, se plaignit Mathilde d'un ton offusqué.

La jeune secrétaire retira ses lunettes de lecture pour observer ces deux étranges parents que lui avait décrits le directeur.

— L'orthopédagogue va vous recevoir, leur annonça-t-elle, sourire en coin, tout en remettant ses lunettes.

Mathilde eut un petit rire forcé.

— Voyons, notre fils n'a pas besoin…

— C'est qu'elle est aussi responsable de « l'aide aux jeunes en difficulté », précisa la jeune femme en souriant.

— C'est un malentendu, dit le père en se frottant nerveusement les mains. Un malentendu dans un cauchemar.

Ils retournèrent de mauvaise grâce s'asseoir dans le bureau du directeur. En silence, cette fois.

François Martin regarda sa montre. Il avait déjà perdu assez de temps. Mathilde sortit son ordinateur, qu'elle n'eut pas le temps d'ouvrir car Claire Lajoie entra dans le bureau.

« Légère, aérienne, pensa François en l'observant. Magnifique. »

Mathilde examinait le visage de la femme et se demandait quelle crème elle pouvait bien utiliser pour avoir un teint aussi parfait sans être maquillée.

La nouvelle venue se glissa avec élégance dans la chaise du directeur.

— Bonjour madame, bonjour monsieur. Je m'appelle Claire Lajoie…

— Il y a un mal…

— Excusez-moi, monsieur Martin. J'aimerais d'abord vous exposer la situation. Vous aurez l'occasion de vous exprimer plus tard.

François se cala dans son siège, mécontent de s'être fait couper la parole.

— Vous avez pris connaissance du bulletin de votre fils et constaté qu'il a obtenu un « E » dans toutes les matières.

Mathilde Dumais et François Martin secouèrent la tête affirmativement en fixant désespérément l'orthopédagogue, qui poursuivit aussitôt :

— Je suis tout à fait convaincue que Zacharie a intentionnellement donné de mauvaises réponses à toutes les questions de ses derniers examens. En effet, c'est statistiquement impossible d'obtenir zéro dans toutes les matières au cours de six interrogatoires différents. Nous parlons ici de plus de 180 mauvaises réponses ! Le pire ignorant aurait répondu avec exactitude à au moins l'une des questions. Or, nous savons que votre fils est brillant. Ses résultats ont toujours été excellents.

— Mais… tenta Mathilde, qui n'était pas certaine de saisir les propos de la dame.

— De plus, continua Claire Lajoie sans relever l'interruption, ce matin, M. Charles Tremblay, le professeur de physique, a dû demander à votre fils de quitter la classe. Il se comportait de façon impolie et dérangeait les autres élèves. Là encore, son attitude n'était pas le fruit du hasard. Zacharie *voulait* qu'on le mette à la porte de la classe. Tout comme il souhaitait rater ses examens.

Elle examinait les parents abasourdis.

— Est-ce que tout va bien à la maison ?

— Bien sûr, s'exclama Mathilde, outrée par l'absurdité de la question.

— Encore ce matin… renchérit François Martin en s'interrompant aussitôt.

— Oui, ce matin ? l'encouragea Mme Lajoie, intéressée.

François Martin fouilla dans sa mémoire. « Il y a bien eu quelque chose ce matin… »

— Oui, on s'est parlé, finit-il par dire.

— Puis-je vous demander quel était le sujet de la discussion ? insista Claire Lajoie. J'ai besoin de pistes pour comprendre son comportement.

Un silence gêné suivit cette requête. Finalement, Mathilde répondit d'une voix tranchante :

— Non, pas question de vous révéler le sujet de la discussion. C'est de nature purement privée.

Surprise, Claire Lajoie regarda ses notes un court instant, puis demanda :

— Où est Zacharie, maintenant ?

Les parents se consultèrent du regard. Ni l'un ni l'autre ne connaissait la réponse. Consciente que leur fils ne devait pas se trouver à l'école, et voulant sauver la face, Mathilde répondit :

— À la maison.

Soulagé, François Martin croisa les jambes.

— Très bien, dit Claire Lajoie en ouvrant un dossier et en y glissant une feuille de papier sur laquelle elle écrivit quelques mots.

Puis, elle leva les yeux vers ses visiteurs et, tout en tenant son crayon dans les airs, demanda :

— Parlez-moi de ses amis.

Une fois de plus les parents se regardèrent en souhaitant que l'autre réponde à la question.

— Il a de bons amis, mentit finalement François Martin.

— Il en a plusieurs, renchérit Mathilde, encouragée par la réponse de son mari.

— Pouvez-vous me donner quelques noms ? Il y a peut-être des élèves de l'école dans son groupe d'amis. Je pourrais leur parler afin de tenter de comprendre ce qui ne va pas chez votre fils.

Aucun son ne sortait de la bouche des parents de Zacharie.

— Cette information est importante pour déterminer quelles mesures prendre afin de lui venir en aide, ajouta Claire Lajoie, fatiguée de jouer au chat et à la souris avec ces drôles de parents. Qui sont ses amis ? insista-t-elle.

François Martin et Mathilde Dumais laissaient s'écouler les minutes en espérant que la dame passerait à une autre question.

Mais non. Elle attendait toujours patiemment, le crayon suspendu dans les airs.

Finalement, François s'adressa à Mathilde :

— Allez, dis un nom, c'est toujours toi qui t'occupes de lui.

— Pourquoi est-ce que je devrais connaître ses amis plus que toi ? répondit Mathilde, humiliée.

— Je vois, dit Claire Lajoie en posant son crayon sur le bureau et en refermant doucement son dossier.

— Vous voyez quoi, au juste ? s'offusqua Mathilde, de nouveau hors d'elle.

Anticipant une autre catastrophe, François Martin se leva et entraîna sa femme rouge de colère vers la sortie.

Claire Lajoie les regarda sortir en hochant tristement la tête.

Elle crut percevoir un faible « au revoir ».

7

Mardi, 18 heures 35 minutes.

— Te voilà, toi ! lança rageusement François Martin à l'intention de son fils, qui était encore dans cette fichue cuisine à perdre son temps.

Zack se préparait des crêpes farcies au jambon et au fromage.

« Tiens, tiens, se dit-il, le paternel daigne s'adresser à moi. »

— Regarde-moi, quand je te parle !

Son père était furieux. Zack jubilait en se disant qu'il devait avoir pris la bonne décision.

En observant son père, il se représentait la scène comme une loterie instantanée. François Martin avait gratté un billet, et hop ! le visage de son fils était apparu sous la pellicule argentée.

« Bravo, monsieur Martin ! Nous sommes heureux de vous annoncer que vous venez de gagner un beau garçon de quinze ans. »

— J'ai dit « regarde-moi », siffla son père entre

ses dents, et lâche cette poêle. Ta mère et moi voulons te parler.

Zack jeta un coup d'œil à sa maman éplorée. Une mèche de ses cheveux blond platine tombait dans le sens opposé à celui convenu avec son célèbre coiffeur. Elle semblait chercher l'attitude appropriée aux circonstances. Finalement, elle décida de se ranger, pour une fois, du côté de son mari.

— Écoute ton père, articula-t-elle en fixant son mari.

À contrecœur, Zack saisit une spatule et transféra délicatement sa crêpe dans une assiette. Au moment même où il se retournait, il reçut en plein visage le bulletin que son père lui lançait. Il ne prit pas la peine d'essayer de l'attraper.

— Ah, ça ? Vous m'avez déjà félicité ce matin, dit-il d'un ton théâtral. Vous voulez peut-être que je vous l'emballe ?

Son père le gifla. C'était la première fois.

Zack toucha sa joue. Elle était brûlante.

« Chaleureuse affection spontanée d'un père indigne », pensa-t-il.

— Ce n'est pas avec un pareil bulletin que tu seras accepté en médecine, hurla son père.

— Je n'ai jamais dit que je voulais étudier la médecine, répondit Zack.

— Toujours, toujours, répéta son père en frappant

la table de la paume de la main. Tu as toujours dit que tu voulais devenir médecin. N'est-ce pas, Mathilde ?

— Oh oui ! acquiesça-t-elle en étirant le « oui ». Zacharie chéri, déjà tout petit, tu jouais au docteur avec tes oursons en peluche.

— Je ne savais pas que c'était un engagement à exercer la profession médicale !

— Zacharie... reprit son père, les dents serrées.

— Appelle-moi Zack. Je déteste Zacharie, l'interrompit son fils.

— Zacharie, répéta François Martin en articulant chaque syllabe, ne me fais plus jamais honte de la sorte. On a dû s'asseoir dans le bureau du directeur, rencontrer une orthopédagogue... Notre fils...

Il secoua la tête, incapable d'émettre un mot de plus pour décrire l'indignité qu'ils avaient dû subir.

— Oui, père ? dit Zack pour l'encourager à poursuivre.

François Martin leva le bras pour le frapper de nouveau.

Zack ne broncha pas, prêt à recevoir une nouvelle gifle.

Voyant l'absurdité de la situation, son père éclata de rire, aussitôt suivi par sa mère. Leur gaieté soudaine sonnait faux. Zack les observait en tapant nerveusement du pied. Allaient-ils bientôt finir de l'embêter ? Maintenant, il avait juste envie de manger sa crêpe.

Zack glissa une main sur le comptoir, saisit l'assiette et les ustensiles, et entreprit de dévorer sa collation. Son père avait repris son calme. Il dit sur un ton léger :

— On se rappellera un jour ce mardi infernal en assistant à ta remise des diplômes, et on boira une coupe de champagne…

— Du Veuve Clicquot, précisa Mathilde, l'index pointé vers le ciel comme pour prendre à témoin quelque esprit qui serait passé par là.

— … à ta santé, continua son père sur sa lancée. D'ailleurs, ton grand-père paternel a déjà acheté un sac en cuir qui te servira de trousse médicale.

— Il ferait mieux d'en faire un coffre à pêche, déclara fermement Zack en plissant les yeux de rage et en jetant avec fracas ses ustensiles sur le comptoir.

Le bruit se répandit dans la cuisine, faisant écho à sa colère. Zack serra les poings et fit face à son père.

— Ce n'est pas ce que je veux faire dans la vie.

— Et tu feras quoi, si tu ne deviens pas médecin ? l'interrogea sa mère, étonnée de l'attitude négative de son fils.

— Maman, je n'en ai pas la moindre idée, répondit Zack d'une voix adoucie.

Son père enrageait et cherchait dans sa tête une façon de gérer ce fichu problème. Zacharie avait toujours été si obéissant… Que se passait-il donc ? Il subissait peut-être de mauvaises influences ? Il lui vint une idée.

— Ce matin, après avoir été mis à la porte de ta classe, où es-tu allé ? demanda-t-il d'un ton redevenu autoritaire.

— Chez Mme Monarque, commença Zack.

— Elle est morte, ta Mme Monarque. Il y a quatre jours. Les funérailles ont eu lieu hier.

— J'ai oublié de te le dire, chéri ! roucoulait sa mère.

Zack les regarda et les vit pour la première fois.

8

Exaspéré, François Martin sortait encore une fois de l'école de Zacharie. Le directeur l'avait mis au courant des agissements de son fils pendant la dernière semaine. Il avait pris son temps, lui donnant plein de détails sur la conduite de Zack dans chacun des cours.

Ces enfantillages n'intéressaient pas François Martin. Il ne se sentait nullement concerné par les problèmes existentiels de son fils.

Le directeur l'avait sans doute noté, car il lui avait dit, au moment de son départ :

— Vous ne semblez pas conscient de la gravité de la situation, monsieur Martin.

Puis, le directeur lui avait ouvert la porte en lui jetant un dernier regard réprobateur.

« Pas conscient, moi ? se demandait maintenant François Martin en montant à bord de sa voiture. Qu'est-ce qu'il veut que je fasse ? Zacharie ne parle plus depuis une semaine. Et alors ? On ne va pas en faire toute une histoire. Ça lui passera. Il suffit d'attendre. »

Il resta un moment immobile et commença à se remémorer les événements survenus ce fameux mardi où tout avait basculé. Mais il refusa de se laisser aller à analyser ce qui s'était passé. Il secoua la tête en empoignant fermement le volant. « Mieux vaut ne plus y penser et laisser le passé derrière soi », finit-il par conclure en démarrant.

La principale difficulté consistait maintenant à réorganiser la vie de la famille, car le directeur venait de lui annoncer que son fils était suspendu de l'école… indéfiniment.

« Zacharie pourra revenir en classe lorsqu'il aura réglé ses problèmes de comportement, pas avant », avait déclaré le directeur sur un ton qui ne tolérait aucune réplique.

En fait, son fils ne se comportait pas mal, il avait juste arrêté de fonctionner normalement. Depuis sept jours, il ne communiquait plus avec personne. Depuis ce fameux mardi, aucun son n'était sorti de la bouche de Zacharie.

François Martin prit la direction de l'Île-des-Sœurs.

« Il est hors de question que je prenne le blâme pour cette situation », se répéta-t-il.

Il avait dit à Zacharie qu'il regrettait de l'avoir frappé et avait insisté sur le fait que sa mère et lui l'adoraient et qu'ils souhaitaient seulement que leur fils chéri REDEVIENNE COMME AVANT.

Mais c'était difficile de garder son calme devant un

gamin de quinze ans devenu muet par choix. Au cours de la dernière semaine, Zacharie s'était laissé conduire à l'école comme un zombie. Il semblait incapable de prendre la moindre décision ou de faire quoi que ce soit par lui-même. Sa mère préparait ses vêtements et il les enfilait sans dire un mot. On devait lui préparer à manger sinon il ne se nourrissait pas.

À l'école, il persistait à ne rien faire. C'est du moins ce que prétendait le directeur : Zack refusait de tenir un crayon, de lire la moindre ligne d'un livre et de répondre aux questions que lui posaient ses professeurs ou ses camarades de classe. Il gardait les yeux baissés. Toute la journée.

François Martin conduisait lentement, cherchant à gagner du temps.

Il n'avait pas la moindre idée de la façon dont il allait annoncer à sa femme la suspension de Zacharie.

Une chose était certaine : Mathilde resterait désormais à la maison pour s'occuper de son fils. Plus question qu'elle travaille. Elle devrait remettre ses rendez-vous à plus tard. À moins qu'un de ses associés se charge de ses dossiers.

Cette pensée le rassura un peu et lui donna de l'espoir. Il était évidemment hors de question qu'il annule son voyage au Myanmar.

C'était bien le fils de sa mère, celui-là. Qu'elle s'en occupe !

9

Le vol 405 d'Air Canada, Montréal-Bangkok via Toronto et Tokyo, partit avec une demi-heure de retard à cause des opérations de dégivrage. Zack, assis à côté de son père, n'en revenait pas encore. Il venait de vivre une semaine incroyable. Le directeur de son école avait insisté pour que l'un de ses deux parents le prenne en charge. « Ce garçon a besoin de son père ou de sa mère. La situation est grave. Vous devez prendre vos responsabilités. »

Mais aucun de ses parents ne voulait être responsable. Ils hurlaient, grondaient, râlaient, s'égosillaient, reprenant cent fois les mêmes arguments.

Zack avait assisté à un match de tennis endiablé dans lequel il jouait, bien sûr, le rôle de la balle. Finalement, sa mère avait gagné, infligeant le coup de grâce à un François Martin estomaqué.

L'avant-veille du départ de ce dernier pour le Myanmar, elle avait soigneusement placé sur le lit conjugal les vêtements de voyage de Zack, un billet d'avion (avec siège réservé à côté de celui de son père) et une note :

« Bon voyage à vous deux. Je pars à Chicago pour le bureau. Vous embrasse. Maman. »

Quelques mots avaient été ajoutés à la hâte au bas de la feuille :

« Parle un peu, Zack, sinon ton père va s'ennuyer. »

« Pas si folle, la mère », pensait maintenant Zack, ravi de se trouver à bord d'un Airbus 340. C'était drôle qu'elle ait pensé à ça toute seule. Son père n'avait pas eu d'autre choix que d'obtempérer.

Assis près du hublot, François Martin buvait maintenant gin sur gin tandis que Zack se concentrait sur le petit écran encastré dans le siège devant lui et regardait le plus de films possible.

Environ vingt-sept heures plus tard, ils sortaient du dernier avion en somnambules. Il était 23 heures, heure locale. Ils se firent conduire à l'hôtel Viengtai au centre du quartier de Banglamphu, la vieille ville de Bangkok. Son père y commanda deux repas, sans prendre la peine de demander à son fils ce qu'il désirait manger.

Aucun mot n'avait été prononcé depuis leur départ de Montréal, et cela convenait parfaitement au père et au fils.

10

Bangkok, Thaïlande.

Zack et son père devaient passer au moins deux jours à Bangkok, le temps d'obtenir le visa du garçon auprès de l'ambassade du Myanmar. Sa mère n'avait pu le faire préparer à Montréal, compte tenu du peu de temps dont elle avait disposé avant le départ.

Même s'il n'en laissait rien paraître, Zack était heureux, car il s'agissait de son premier voyage en Asie.

Ils s'étaient levés tôt pour arriver les premiers à l'ambassade et avaient couru jusqu'au quai Phra Athit pour prendre le bateau-bus. Ils parvinrent à trouver deux sièges, et le bateau amorça sa course sur le Chao Phraya, glissant à travers la ville de Bangkok.

Le fleuve était plutôt étroit, et on pouvait voir ce qui se passait sur chacune des deux rives. Zack s'émerveillait de tout ce qu'il découvrait.

« C'est malade ! » pensait-il à la vue des maisons en bois bâties sur pilotis le long du fleuve. Sur les quais, des Thaïlandaises marchaient avec de longues perches posées en équilibre sur leurs épaules, et les seaux accrochés aux extrémités se balançaient dans un sens et dans l'autre. Au loin se dessinaient les gratte-ciel, qui indiquaient que cette ville était aussi moderne que traditionnelle.

Le bateau-bus dépassait souvent de longues embarcations lourdes chargées de marchandises. Alors, les ronronnements des moteurs se mélangeaient un instant, puis celui de leur bateau continuait sa partition en solo.

Le haut-parleur situé près de Zack grésilla, puis une voix annonça quelque chose en thaïlandais. Le bateau fit alors une courte escale pour prendre d'autres passagers.

Une dizaine de femmes sautèrent dans la navette en tenant d'une main leurs grands chapeaux coniques. Elles s'installèrent tout près du père et du fils et s'amusèrent de l'étonnement de Zack devant tout ce qu'il voyait.

Plus loin, des hommes marchaient pieds nus à la queue leu leu sur les quais, transportant sur leur tête des marchandises qu'ils chargeaient à bord de péniches. Des mouettes criaient. Partout s'élevaient des temples bouddhistes, comme d'immenses cloches dorées posées sur le sol et surmontées de longues aiguilles qui s'élançaient vers le ciel.

Zack aurait eu besoin d'une autre paire d'yeux pour tout voir.

Il était fasciné par les moines au crâne rasé et à la robe rouge qui embarquaient et débarquaient à chaque arrêt.

Ils étaient à peine arrivés au quai de Sathorn que son

père sauta en bas du bateau, agrippa la courroie de son sac à dos et tenta de l'entraîner au pas de course.

Mais Zack résistait.

Commença alors une expédition dans les rues achalandées de Bangkok. Zack s'arrêtait partout. Il avait remarqué que l'on mangeait sans arrêt dans cette ville. En arrivant la veille, puis ce matin encore, il avait observé des gens assis sur les talons qui poussaient de la nourriture dans leur bouche à l'aide de baguettes tout en tenant leur bol au bord de leurs lèvres.

Et on cuisinait à tous les coins de rue : des brochettes de poulet marinées dans une sauce qui sentait les arachides, des currys verts ou rouges, des nouilles frites, du maïs, des poissons, des fruits de mer et des soupes à base de lait de coco toutes plus délicieuses les unes que les autres.

À l'hôtel, Zack avait changé des dollars pour des bahts, l'unité monétaire de la Thaïlande. Ainsi, il ne se privait pas de goûter les spécialités culinaires de l'endroit.

Il humait dans l'air les odeurs de cardamome, d'ail, de basilic et de toutes sortes d'épices dont il ne connaissait pas le nom.

Cette ville l'ensorcelait. Même avec ses embouteillages, sa pollution et ses bruits parfois assourdissants. Bangkok était une ville vivante. Elle explosait de vie.

Une marchande lui tendit un fruit. Cette fois, son père s'interposa. Il en avait assez de l'attendre. Il le tira par la chemise, mais Zack s'échappa pour se ruer sur un tricycle transformé en casse-croûte. Un homme y faisait cuire des crêpes sur une plaque déposée sur un poêle à charbon.

Finalement, François Martin poussant, entraînant et bousculant son fils, ils finirent par arriver à l'ambassade. Ils se mirent en file. Une heure plus tard, ils obtenaient enfin le formulaire à remplir. Puis commença une nouvelle attente de quarante-cinq minutes pour rencontrer le préposé à la vérification des documents. Puisque tout était en ordre, l'homme leur remit un carton sur lequel était inscrit un numéro.

— Et quand vous appellerez ce numéro, le visa sera prêt ? demanda François Martin, découragé.

— Non, répondit le préposé. Visa, demain. Numéro, pour payer visa. Là, ajouta-t-il en désignant le guichet d'à côté.

François Martin marmonna qu'il n'avait pas que ça à faire. Quelle perte de temps ! Et tout ça à cause de qui ?

Pendant que son père bougonnait, Zack s'amusait à inspecter les touristes : des jeunes, des vieux, des gens heureux en route pour découvrir le monde. Il se demandait si on pouvait apprendre à vivre juste en regardant comment les autres s'y prennent. Pour lui, ses parents ne vivaient pas ; ils survivaient.

Le lendemain, ils se trompèrent deux fois de bateau et se retrouvèrent dans un drôle d'endroit. Au détour d'un canal, Zack vit apparaître des centaines de petites pirogues surchargées de toutes sortes de marchandises et pilotées par des femmes qui se tenaient debout à l'arrière. Elles étaient vêtues de longues jupes serrées et de tuniques à col droit et coiffées du fameux chapeau conique. Elles manœuvraient des embarcations-magasins qui regorgeaient de fruits de toutes les couleurs, de poissons, de légumes, de fleurs, de pièces de vaisselle et d'objets de toutes sortes. Zack n'avait jamais rien vu de tel.

Son père, prenant conscience de son erreur, s'exclama :

— Zut ! Le marché flottant !

« Deux jours de voyage : quatre mots. C'est pas mal, pensa Zack. À cette cadence, j'aurai droit à une phrase complète à la fin du voyage. »

11

Sitôt qu'ils eurent le visa en main, Zack et son père se rendirent à l'aéroport prendre le dernier avion pour Yangon, la capitale du Myanmar. Il était 17 heures. Le vol ne durait qu'une heure, et Zack était curieux de découvrir le pays.

Avant son départ de Montréal, il avait à peine eu le temps d'ouvrir son ordinateur et de taper le mot *Myanmar* dans un moteur de recherche. Il désirait savoir dans quel coin du monde se trouvait le pays. Il l'avait finalement repéré sur une carte de l'Asie. Le pays avait une forme allongée et partageait des frontières avec la Thaïlande, le Laos, l'Inde, le Bangladesh et la Chine.

C'était tout ce qu'il en savait.

À l'arrivée, leurs bagages en main, son père héla un taxi et négocia le prix en dollars américains, car il n'avait pas encore de kyats, la monnaie du pays.

Zack observait les taxis et se demandait comment des bagnoles aussi vieilles pouvaient encore rouler. Celle dans laquelle ils montèrent avait les sièges enfoncés jusqu'au plancher et les vitres coincées à moitié ouvertes. Les poignées des portes arrière avaient disparu.

Le taxi roulait vers Yangon, et Zack observait les hommes et les femmes le long de la route, habillés de longues jupes nouées à la taille. Les femmes avaient presque toutes le visage peint de dessins de couleur blanche. Plusieurs personnes portaient des chapeaux coniques comme ceux qu'il avait vus à Bangkok. Parfois, des femmes tenaient un parapluie ouvert au-dessus de leur tête pour se protéger du soleil.

En entrant dans la ville de Yangon, il fut surpris de voir de larges avenues bordées d'édifices décrépits qui contrastaient avec de hautes constructions dorées. « Sans doute des pagodes », se dit Zack en toussant. Il avait de la difficulté à respirer, étouffé par les émanations de gaz produites par les vieilles voitures et les autobus.

Le taxi ralentit pour laisser passer des enfants qui couraient dans la rue derrière des cerceaux de métal qu'ils faisaient rouler à l'aide d'un bâton.

Zack en profita pour regarder de plus près les marchands assis à même le sol, entourés de montagnes de fruits, de légumes ou de fleurs. Partout on vendait quelque chose : des livres, des chaussures, des vêtements, des sacs à main, des téléphones portables…

Ils croisèrent plusieurs cafés installés sur le trottoir et qui se résumaient à quelques minuscules tables et chaises de plastique rouge, comme celles qu'on donne aux très petits enfants à Montréal.

Finalement, ils arrivèrent à l'hôtel Traders, en plein centre-ville. Zack était déçu de se retrouver dans un quatre étoiles. Il aurait préféré quelque chose qui ressemble un peu plus au pays. Plus simple. Moins riche.

Comble de malheur, son père ne voulut pas quitter l'hôtel pour le repas du soir.

Zack se sentait comme un oiseau en cage.

Le lendemain matin, François Martin s'attarda longtemps dans la chambre pour communiquer avec ses collègues sur Internet. Zack tentait de s'échapper pour aller dehors, mais chaque fois qu'il approchait de la porte, son père s'interposait et lui désignait le fauteuil à l'autre bout de la pièce.

— Assis-toi et reste là !

« Wouf ! Wouf ! » pensait Zack en obéissant à son père.

Il n'avait même pas le droit d'allumer le téléviseur.

Un guide de voyage sur le Myanmar se trouvait à portée de la main. Il le prit et l'ouvrit au chapitre qui traitait de l'histoire du pays.

Quelques heures plus tard, son père lui ordonna de ramasser ses affaires. Mais Zack était encore sous le choc de ce qu'il venait de lire. L'histoire de ce pays était invraisemblable. Il avait subi les attaques répétées d'envahisseurs qui convoitaient son jade, ses rubis, ses réserves de pétrole et, bien sûr, son bois de tek, le plus précieux d'entre tous, qu'on utilisait pour la construction des bateaux.

Depuis 1962, le peuple birman était assujetti à un régime militaire qui contrôlait tout, directement ou indirectement. Le vrai pouvoir avait toujours été détenu par l'armée. Ici, pas question de s'opposer aux politiques du gouvernement ou de se moquer des dirigeants. On ne pouvait même pas imaginer publier la caricature d'un militaire. Le peuple courbait l'échine en espérant qu'un jour son pays deviendrait une véritable démocratie où les richesses naturelles profiteraient à tous et à chacun.

François Martin empoigna le sac de son fils et l'entraîna sans un mot à l'extérieur de l'hôtel. Ils montèrent aussitôt dans un taxi.

Zack remarqua que son père avait laissé ses propres bagages à l'hôtel.

Où l'emmenait-il donc ?

— *Go to the corner of Pazundaung and Mahabandoola*[1], ordonna François Martin au chauffeur.

Cette information n'apportait pas de véritable réponse à Zack.

Le taxi démarra. Zack observait son père du coin de

---

1. « Rendez-vous à l'intersection de Pazundaung et de Mahabandoola. »

l'œil, mais aucune émotion n'émanait de lui. Un silence de mort régnait dans la voiture. Quinze minutes plus tard, elle s'immobilisa à l'intersection demandée, en plein cœur d'un quartier résidentiel.

Zack et son père descendirent de voiture, parcoururent à pied une cinquantaine de mètres et s'arrêtèrent devant une maison étroite coincée entre deux immeubles défraîchis. Un petit homme chauve portant une longue jupe à carreaux vint leur ouvrir. Zack remarqua que ses yeux brillaient de joie lorsqu'il serra son père dans ses bras.

— *Mingalaba*[1] ! s'exclama le Birman.

— Bonjour U Tin Maug ! Alors tu as abandonné le costume occidental pour revenir au *longyi*, dit François Martin en désignant le long rectangle de tissu qui entourait sa taille et tombait jusqu'à ses chevilles.

— Je l'aurais bien porté à Montréal quand on étudiait ensemble, mais quelque chose me disait que *longyi* et banc de neige ne faisaient pas bon ménage !

François éclata de rire.

— Comment vas-tu, mon vieil ami ? demanda-t-il en serrant à son tour l'homme dans ses bras.

« De plus en plus étrange de la part d'un homme habituellement si peu affectueux. » Zack ne reconnaissait pas son père.

---

1. « Bonjour ! »

— Pas très bien, répondit finalement U en les entraînant à l'intérieur de la maison. Je dois te parler, François. C'est important.

Zack commençait à examiner les livres qui tapissaient les murs lorsqu'il eut une vision : une fille de son âge venait d'entrer dans la pièce. Elle était belle, immensément belle, si belle qu'il ne pouvait détourner son regard d'elle.

Elle n'avait pas de cheveux et portait la longue robe rose des jeunes nonnes bouddhistes inscrites au noviciat. Il le savait, car il avait vu un reportage sur les monastères bouddhistes réservés aux femmes. Elles étaient ainsi vêtues et avaient toutes la tête rasée.

Il admirait la jeune fille. Ses petits pieds nus sautillaient autour de U Tin Maug.

— Allez, papa, présente-moi à son fils… Zack, c'est ça ?

Comment pouvait-elle savoir qu'il détestait se faire appeler Zacharie ? Et comment se faisait-il qu'elle parlait le français ? Elle s'approcha de lui, prit sa main dans la sienne et secoua sa superbe tête rasée au milieu de laquelle deux yeux immenses se posaient sur lui. Zack était cloué sur place.

— C'est une chance que mon père nous ait toujours parlé en français, n'est-ce pas ? Il l'a appris à Montréal, lorsqu'il y étudiait. Mais tu dois aussi te débrouiller en anglais ?

Zack secoua affirmativement la tête. Il était déçu que son père ne lui ait jamais parlé de ces gens si fascinants.

— Cet imbécile ne parle plus aucune langue, dit son père à son ami, sans se retourner vers la jeune fille. Il n'a pas ouvert la bouche depuis deux semaines. Monsieur fait la grève !

U Tin Maug regardait François Martin, interloqué. Comment pouvait-on parler de son fils de cette façon ? Il avait même perçu de la haine dans le ton de sa voix.

— Mya, s'il te plaît, dit-il en posant une main sur l'épaule de sa fille, emmène Zack dehors.

Sa sollicitude et la tendresse de son geste contrastaient avec l'attitude agressive de François Martin.

Sur le mur derrière U Tin Maug, Zack remarqua un autel sur lequel on avait déposé un Bouddha assis en train de méditer. Le garçon ne put s'empêcher d'établir un parallèle entre le sourire paisible du Bouddha et celui du père de Mya.

Ils allaient sortir lorsque U Tin Maug les retint :

— Attends un peu, Mya...

Il se tourna rapidement vers François Martin et lui demanda :

— Est-ce que ton fils a visité la pagode Shwedagon ?

— Non.

— Alors allez-y, Mya. Ça nous laissera le temps de discuter.

Ils ne se firent pas prier.

Zack avait du mal à suivre Mya, ne pouvant à la fois regarder la ville autour de lui et l'endroit où il mettait les pieds. Yangon était rempli de nids-de-poule et d'ordures. C'était une drôle de ville. Tout s'y trouvait pêle-mêle, comme après un tremblement de terre. Pourtant, les gens étaient calmes et souriants. Les immeubles, usés, semblaient abandonnés, malgré leurs galeries surchargées de cordes à linge où pendaient des vêtements de toutes les couleurs.

En marchant dans la ville, Zack avait l'impression de traverser plusieurs pays tellement les gens étaient différents d'un endroit à l'autre.

— Ici, c'est le quartier chinois, expliqua Mya.

Puis, on était tout à coup ailleurs.

— Nous arrivons dans le secteur indien.

Et plus loin :

— Regarde la mosquée, Zack. Les musulmans vivent surtout dans ce quartier.

Zack était étourdi par toutes ces découvertes. Mya lui désignait des gens appartenant à des ethnies différentes et habillés de leurs vêtements traditionnels : les Kachins, les Chins, les Môns, les Shans…

— Nous, les Birmans, on forme la majorité du peuple du Myanmar, mais il y a aussi plein d'autres groupes qui ont des coutumes différentes des nôtres, expliqua Mya.

Zack regardait tout autour et avait l'impression de se

trouver dans un film d'après-guerre. Il observait les fils électriques qui s'enroulaient autour des poteaux puis qui pendaient dangereusement au-dessus de la rue. La nuit précédente, en regardant par la fenêtre de la chambre d'hôtel, il avait remarqué que les gens devaient circuler dans Yangon munis d'une lampe de poche à cause des coupures d'électricité.

Mya s'arrêta soudainement et lui saisit le bras.

— Tu vas voir, Zack, Shwedagon est la plus belle pagode que tu auras jamais vue. Il y a autant d'or dessus que dans tous les coffres de la Banque d'Angleterre… sans parler des diamants, des rubis et des émeraudes.

Elle avait ajouté cette précision sur un ton léger, comme s'il s'agissait de choses insignifiantes. Ils se regardèrent, toujours sérieux, puis éclatèrent de rire en même temps.

Zack trouva étrange le son de sa propre voix. Comme si le rire venait d'ailleurs, d'une autre personne. Il n'eut pas le temps de poursuivre sa réflexion. Mya venait de s'arrêter dans une échoppe et parlait au vendeur. Celui-ci sortit une pile de cahiers et des crayons à mine.

Pendant de longues minutes, Mya examina les cahiers un à un. Puis ce fut au tour des crayons, qu'elle inspecta centimètre par centimètre.

« Chez nous, pensait Zack, on n'accorde aucune importance au fait d'acheter un cahier si ordinaire et un vulgaire crayon à mine. Ici, c'est probablement une dépense importante. Alors on prend son temps. Les gens vivent très simplement, avec le minimum de ressources. » Il avait lu dans le guide de voyage que le revenu moyen d'une famille se situait en dessous de quatre dollars par jour.

À la demande de Mya, le vendeur ajouta un taille-crayon et une gomme à effacer et mit le tout dans un sac qu'il tendit à la jeune fille de la main droite tout en touchant son coude de la main gauche. Mya fouilla dans les poches de sa robe et, n'y trouvant rien, se tourna vers Zack. Celui-ci comprit aussitôt et paya le commerçant. Puis, il imita le geste étrange qu'il lui avait vu faire tout en regardant Mya d'un air interrogateur.

— Tu te demandes pourquoi il a touché son coude ?

Zack fit oui de la tête.

— Ici, c'est ce que nous devons faire lorsque nous tendons quelque chose à quelqu'un.

Il voulait savoir autre chose, alors il mit son index droit sur sa joue et dirigea son regard vers un groupe de jeunes femmes au visage enfariné d'une poudre blanche.

— C'est du *tanaka*, une pâte d'écorce broyée. On met ça pour se protéger du soleil. Parfois, on fait juste des dessins sur notre visage.

Elle lui tendit le sac.

— Prends ça. Tu pourras m'écrire si tu veux me dire quelque chose.

Zack hocha la tête.

Ils arrivèrent finalement au site bouddhique le plus sacré du Myanmar. Comme tous les autres visiteurs, Zack abandonna ses chaussures à l'entrée. Puis, Mya et lui commencèrent à monter l'escalier pour accéder à la pagode. Plus ils approchaient et plus un tintement de clochettes était perceptible. Des coups de gong s'y mêlaient, donnant aux lieux une atmosphère tragique.

Comme il atteignait la dernière marche, Zack fut ébloui par l'immensité du lieu. Il constatait que Shwedagon n'était pas seulement une immense pagode. Tout autour se dressaient plusieurs pagodons, statues de Bouddha, temples et petits pavillons de toutes formes. Il allait tourner à droite, face à l'immense stûpa en forme de cloche, mais Mya saisit gentiment son bras.

— Il faut toujours tourner autour d'un stûpa dans le sens des aiguilles d'une montre afin qu'il se trouve toujours à ta droite.

Zack était surpris de croiser dans un lieu de culte si important des familles entières déjeunant face à un bouddha, alors que plus loin un fidèle était plongé dans une profonde méditation. Une procession de moines tournait autour du stûpa, tandis qu'un groupe d'enfants courait dans tous les sens. C'était bien différent des autres lieux de culte qu'il avait visités. Il semblait que celui-ci appartenait à tout le monde.

Zack marchait lentement, appréciant la fraîcheur de la pierre et les odeurs d'encens qui imprégnaient peu à peu ses vêtements et ses cheveux. Il était fasciné par cette fille de son âge qui semblait vivre dans une autre époque. Elle lui racontait la légende de la pagode Shwedagon, qui abritait huit cheveux du Bouddha. Il écoutait, intéressé par l'histoire, mais surtout fasciné par sa voix.

Zack se demandait ce qui serait différent s'il parlait. Il lui dirait sans doute quelque chose pour l'épater. Lui balancerait tout ce qu'il connaissait sur le bouddhisme.

C'était finalement très confortable, le silence. Comme un lieu où il se serait glissé pour se mettre en sécurité. Là, il n'avait plus aucun rôle à jouer. Rien à prouver. Il se demandait si on pouvait passer sa vie à se taire ainsi.

Puis, son estomac se serra. Qu'est-ce qui allait lui arriver ? Comment tout cela allait-il se terminer ? Zack avait l'impression d'être en attente. Mais en attente de quoi ?

Il se laissait entraîner par Mya et faisait tout ce qu'elle lui conseillait pour s'attirer la protection des *nats*.

— Ce sont des esprits anciens, expliqua Mya en prenant une voix d'outre-tombe. Des esprits de grands rois, de héros légendaires et de divinités de la nature. Ils sont trente-sept. Certains sont bons, d'autres méchants.

« Ma parole, je tremble d'effroi », se dit Zack en riant intérieurement.

— Tu verras, ici, le culte des *nats* se mêle au bouddhisme, termina Mya en reprenant une voix normale et en l'entraînant plus loin.

Zack aimait l'atmosphère paisible de ce lieu. L'équilibre qui s'en dégageait. On s'y sentait protégé par le regard bienveillant du Bouddha.

Apaisant.

Zack n'était pas religieux et ne le serait probablement jamais. Seulement il aimait les traditions et les rituels qui tournaient autour de la religion : les réunions de famille, les repas, la musique qui accompagnait les cérémonies, les gestes posés des milliers de fois au cours de l'histoire du monde. Toutes ces coutumes qui se greffaient aux croyances les plus diverses avaient l'avantage de réunir les gens.

Une nuit, il avait assisté à un souper du ramadan chez Mohamed, un ami musulman de son père. L'expérience avait été extraordinaire. Les gens avaient jeûné toute la journée, du lever au coucher du soleil. Et le soir venu, ils avaient fait un immense banquet. Ils chantaient, dansaient, riaient… Zack s'était dit que ça valait la peine de jeûner pour vivre ça.

Les fêtes chrétiennes aussi l'intéressaient. Parfois, il allait à la basilique Notre-Dame avec sa grand-mère pour y entendre les airs religieux joués à l'orgue. Cet instrument le fascinait. Les sons qu'il produisait résonnaient d'un bout à l'autre de l'église. D'abord, les notes sortaient des tuyaux comme un grondement, puis la musique s'amplifiait et se transformait elle-même en une cathédrale sonore. Zack se retrouvait paralysé sous la force et la puissance des sons.

Il regarda Mya en souhaitant qu'un jour elle assiste avec lui à un concert des grandes orgues. Elle pourrait aussi venir chez leurs voisins juifs fêter Hanoukka. Avec un peu de chance, Samuel sortirait son violon et jouerait de la musique klezmer.

« Les rites religieux ont quelque chose d'intéressant », se dit Zack en observant Mya marmonner des prières tout en faisant tourner des rouleaux fixés sur un mur. Il se demanda quelle était la nature de sa foi. Zack avait lu quelque part que le bouddhisme était plus une philosophie qu'une religion. Mais est-ce que Mya posait ces gestes pour le plaisir de suivre un rite ou croyait-elle réellement que cela changerait quelque chose à sa vie ?

Il aurait aimé lui parler du voyage de Mme Monarque à Amritsar, en Inde. Elle y avait visité le Temple d'or, le lieu saint des Sikhs, et y avait expérimenté l'impression d'être soudainement dans un entre-deux. Entre le rêve et la réalité.

Elle s'était assise devant le lac artificiel au milieu duquel se trouvait le Temple d'or et était restée là toute la journée, comme hypnotisée, à écouter les prêtres chanter les psaumes du livre sacré des Sikhs.

Des Sikhs lui avaient offert à boire et à manger, tout naturellement, comme si c'était une chose normale que de nourrir quelqu'un venu leur rendre visite. Ils fournissaient ainsi de la nourriture à plus de 80 000 visiteurs par jour. Incroyable !

Oui, pour lui, l'intérêt d'une religion résidait dans ses rites. Peu lui importait que d'autres voient les choses différemment. Il ne porterait jamais de jugement là-dessus. Chacun était libre de vivre sa vie comme il l'entendait.

Zack aurait aimé raconter tout ça à Mya, mais il en était incapable. Mme Monarque avait été la seule personne à qui il s'était confié, et maintenant elle était morte. Il n'avait même pas eu l'occasion de lui dire adieu.

Peut-être ne parlerait-il plus jamais.

Voyant Zack perdu dans ses pensées, Mya s'arrêta et lui demanda :

— Ça te plaît ?

Zack ouvrit les bras, mains tendues vers le ciel avec un sourire qui disait : « Je n'oublierai jamais la beauté de cet endroit. » Mya, qui comprenait tout, lui prit la main et dessina dedans le chiffre 9.

— Aujourd'hui, c'est le neuf du mois. Neuf, c'est *ko* en birman et ça signifie aussi « rechercher la protection des dieux ». C'est un chiffre chanceux.

Zack la contempla et se dit qu'il y avait encore plus d'or dans les yeux de Mya que dans toute la pagode de Shwedagon.

Ils s'assirent par terre devant un grand Bouddha. Mya poussa délicatement le pied de Zack.

— Tu ne dois jamais pointer le pied en direction du Bouddha. Ni aucune personne, d'ailleurs. Et il ne faut jamais enjamber quelqu'un.

Zack se rappela qu'il l'avait fait quelques minutes auparavant. Il était reconnaissant à Mya de prendre la peine de l'instruire de ces choses qui étaient importantes pour les Birmans mais qu'il ne pouvait pas deviner par lui-même.

Cette fille était extra.

Ils restèrent assis côte à côte sans parler. Mya pouvait aussi se taire. Quand elle le faisait, il semblait à Zack qu'elle quittait le monde dans lequel elle se trouvait et qu'elle s'en allait très loin dans ses pensées. Zack, un peu en retrait, regardait le cou mince et élancé de Mya. La jeune fille, se sentant observée, rougit et demanda, inquiète :

— Tu n'aimes pas mon crâne rasé ?

Zack saisit son cahier et écrivit : « Mya, tu es la plus belle. »

Elle sourit, ravie.

— Je ne serai pas longtemps au noviciat, reprit-elle. De toute façon, je peux sortir du monastère quand je veux pour m'occuper de mon frère et de mon père. Mais j'aime bien y aller. Là, je peux manger au moins deux repas par jour.

Elle continua, cette fois en chuchotant :

— C'est pour ça que, parfois, les novices restent plus longtemps au monastère.

« Pour avoir de quoi manger », poursuivit Zack dans sa tête. Alors, Mya et sa famille étaient pauvres. Il ne l'aurait pas cru. Le père de Mya semblait quelqu'un de très instruit. Zack espérait que Mya lui donnerait plus de renseignements.

En vain.

Il y avait des désavantages au silence.

De nouveau, un groupe de jeunes moines les dépassa. Zack adorait les regarder. Ceux-là se tenaient par l'épaule et semblaient former un tout. Enveloppés dans leurs robes rouges identiques, le crâne rasé, pieds nus, rien ne semblait les différencier les uns des autres.

Zack avait envie d'être l'un des leurs. Encore une fois, Mya devina ses pensées.

— Ce sont des novices comme moi. Ils prennent la robe pour un mois ou deux. C'est la religion qui l'exige. Pour les filles, c'est moins important. On n'est pas obligées de passer par le monastère. Moi, j'en avais envie.

« Pourquoi ? » se demanda Zack. Mais cette fois-ci, elle ne saisit pas ses pensées et poursuivit son explication :

— Pour les hommes, les séjours au monastère sont obligatoires. Ils doivent y faire deux retraites. La première comme novice, quand ils ont entre dix et vingt ans, la seconde à n'importe quel âge passé vingt ans, comme *hpongyi,* c'est-à-dire moine à part entière.

Comprenant l'intérêt que Zack portait aux moines, Mya proposa :

— La semaine prochaine, mon frère Ko Than, qui est âgé de douze ans, entre au monastère Kyauk Bagaham comme *samanera*. Ce mot signifie « novice ». Ko Than fera l'apprentissage de la vie d'un moine bouddhiste. Il y aura la cérémonie du noviciat : le *Shin Pyu*. Aimerais-tu y assister ?

Zack écarquilla les yeux et fit oui de la tête.

Plusieurs fois.

Mya le prit par la main et l'entraîna à travers Yangon. Elle continuait à lui raconter la vie des Birmans. Parfois, elle chantait.

Ils marchaient serrés l'un contre l'autre et avaient l'impression de s'être toujours connus, comme si, après les quinze premières années de leur vie, une partie d'eux-mêmes s'était soudainement révélée.

*   *   *

Aussitôt leurs enfants partis, U Tin Maug et François Martin prirent place à la table près de la fenêtre. Ils restè-rent un moment assis en silence. U regardait son ami affectueusement, puis il prit la parole.

— Je ne sais plus quoi faire… commença-t-il.

François Martin fut saisi par le ton alarmé de sa voix.

— J'ai de plus en plus de problèmes avec les autori-tés. Elles ne m'ont jamais pardonné ma participation aux manifestations de 2007…

François Martin se souvenait bien de cet épisode de la vie de son ami. À la fin de ses études à Montréal, en 1992, U était revenu au Myanmar pour enseigner à l'université de Yangon. Il y avait rencontré l'amour de sa vie avec qui il avait eu deux enfants, Ko Than et Mya. U aimait passionnément l'enseignement, c'est pourquoi il avait toujours refusé de se mêler de politique, de peur de perdre son travail.

Mais sa vie avait basculé en 2007. D'abord, sa femme était tombée malade et était décédée. Puis les militaires avaient mis en place une série de mesures qui appauvrissaient terriblement la population. En fait, ils avaient décidé de créer de toutes pièces une nouvelle capitale au coût de 250 millions de dollars américains, alors que le pays avait plutôt besoin d'infrastructures pour acheminer l'eau potable et l'électricité. On manquait d'écoles, d'hôpitaux, de ponts. On n'avait certainement pas besoin d'une nouvelle ville bâtie pour les amis du régime en place.

U n'avait pas eu d'autre choix que de descendre manifester son opposition dans la rue, se joignant aux moines bouddhistes qui clamaient eux aussi leur indignation.

— Ceux qui étaient à mes côtés lors de la manifestation, continua U, ont perdu leur emploi tout comme moi. Certains ont même été assassinés.

Il regarda François Martin dans les yeux et ajouta d'un ton suppliant :

— Je dois trouver du travail.

— Je peux m'informer auprès de mon employeur. Il aurait peut-être un emploi pour toi.

— Ce serait merveilleux, s'exclama U.

— Je ne te promets rien, précisa François Martin. Je vais me renseigner.

— Tu m'as dit ce matin au téléphone que tu avais quelque chose à me demander.

— Oui, répondit François. Garderais-tu Zacharie quelques jours, le temps que j'aille jeter un coup d'œil au barrage de Myitsone ?

— Le barrage de Myitsone ? répéta U Tin Maug en appuyant sur chaque syllabe.

— Oui, oui. Je dois faire un rapport à ce sujet.

— Les militaires ne te laisseront jamais approcher du chantier, l'informa U Tin Maug en plissant les lèvres en signe de dégoût.

— Je vais le faire en douce, déclara François Martin. Je dois tenter de mesurer l'impact du barrage sur l'environnement. Le gouvernement birman a annoncé en septembre dernier qu'il interrompait sa construction, mais il ne s'agit que d'une suspension des travaux.

— En effet ! Tu veux savoir l'impact de ce barrage ? Tu veux vraiment le savoir ?

U Tin Maug était rouge de colère. François Martin ne l'avait jamais vu dans un tel état.

— Le barrage de Myitsone serait le cinquième plus grand barrage hydroélectrique au monde. Mais à quel prix ? commença U.

Il secoua la tête de découragement et poursuivit :

— La junte militaire a autorisé la China Power Investment Corporation, l'une des plus grandes entreprises d'électricité chinoise, à construire le barrage sur la rivière N'Mai Hka dans la région de Kachin, au nord du pays. Ce barrage doit alimenter une centrale hydroélectrique…

— C'est bien, non ? l'interrompit François Martin. Vous auriez enfin de l'électricité dans vos maisons à longueur de jour.

— Oh, non ! Tu te trompes, François. Cette électricité n'est destinée qu'à la Chine. Pour construire le barrage, les militaires ont déplacé par la force 20 000 habitants des villages avoisinants. Ces villageois ont été réinstallés dans des campements de fortune où ils ne peuvent ni cultiver ni pêcher. Vingt mille vies ont été détruites.

— C'est terrible, acquiesça François Martin.

— Et tu ne sais rien encore, dit U en se levant d'indignation. Le barrage se situe à quelques kilomètres d'une importante faille sismique. S'il devait y avoir un tremblement de terre, une grande partie de la région serait inondée. Il y aurait des milliers de morts.

— Ce serait une catastrophe, en effet. Je dois voir ça de mes propres yeux, ajouta François devenu songeur. Mais tu ne crois pas que le Myanmar abandonnera finalement le projet ?

— Non, on a toutes les raisons de croire que la Chine s'opposerait à la suspension des travaux.

U Tin Maug se dirigea vers le fond de la pièce où se trouvaient un lavabo, un réchaud posé sur une table ainsi qu'un minuscule réfrigérateur. Apparemment, cet espace faisait office de cuisine. Il entreprit de préparer du thé pour son invité. Il avait retrouvé son calme.

François l'observait et prenait tout à coup conscience du dénuement dans lequel vivaient son ami et sa famille.

— Tu sais, U, je peux trouver une autre solution pour Zacharie. Il est bien assez grand pour m'attendre seul dans un hôtel du centre-ville.

U se retourna, offusqué.

— Je n'ai pas encore répondu à ta question. Oui, je peux le garder, mais à une condition.

— Laquelle ?

— Que tu me fasses l'honneur d'assister, dans une semaine, à la cérémonie du noviciat de mon fils Ko Than.

— Avec plaisir, U. Et je te laisse un peu d'argent pour les frais encourus par le séjour de Zacharie chez toi.

Ils burent leur thé en silence, puis François Martin se leva pour prendre congé.

— Tu n'attends pas le retour de Zacharie ? demanda U Tin Maug, surpris de le voir si pressé tout à coup de quitter les lieux.

— Non.

— Tu as un mot à lui laisser ? demanda U.

— Non.

— Est-ce que Zacharie sait qu'il va passer toute une semaine ici ?

— Non.

— François, dis-moi, qu'est-ce qui se passe avec ce garçon ?

— Rien d'important… Trois fois rien.

Devant le regard incrédule de U, il répéta :

— Il ne se passe rien… et c'est bien ça le problème !

12

Yangon, cérémonie du *Shin Pyu*.

Une semaine s'était écoulée depuis que Zack était revenu de la pagode Shwedagon pour découvrir que son père s'était volatilisé. Il en avait d'abord été attristé, puis il avait appris que Mya resterait à la maison avec Ko Than pour lui tenir compagnie.

Ils avaient vécu tous les trois une semaine du tonnerre ! Chaque minute avait été utilisée à ratisser Yangon dans ses moindres recoins, à écouter de la musique, à cuisiner, à lire… Mais surtout, Zack avait adoré tout ce temps consacré à observer Mya. Il ne s'en lassait pas.

Puis, son père était revenu et un voile était à nouveau tombé devant ses yeux. Lorsqu'il se projetait dans l'avenir, chez ses parents, à Montréal, sa gorge se serrait comme si elle était prise dans un étau. Son ventre lui faisait mal. Il était devenu incapable de s'identifier à sa famille, à son école… Tout ça était le passé. Et ce passé était mort. Maintenant, seuls U Tin Maug, Mya et son frère lui donnaient l'impression d'être encore vivant.

Aujourd'hui, c'était le jour de la cérémonie qui marquait l'entrée de Ko Than au monastère, et Zack devait faire de son mieux pour sembler heureux.

U Tin Maug les entraîna joyeusement à l'extérieur de la maison. Toute une foule était déjà rassemblée dans les rues et suivait un cortège qui conduisait triomphalement les futurs novices au monastère Kyauk Bagaham. Les familles et leurs amis marchaient au rythme endiablé des tambours tandis que les futurs moines s'entassaient joyeusement à l'arrière de camionnettes décorées de rubans colorés. Des porteurs de drapeaux ouvraient fièrement la marche. À mesure que l'on approchait du monastère, le cortège grossissait. Les gens riaient, chantaient et s'embrassaient.

— Jadis on conduisait les futurs novices au monastère à dos d'éléphants, expliqua Mya à Zack tout en agitant les bras en direction de Ko Than, qui venait de prendre place à l'arrière d'un camion.

Zack était occupé à observer la troupe de percussionnistes accroupis dans une charrette tirée par des bœufs. Ils frappaient énergiquement sur leurs tambours, au grand plaisir des jeunes enfants qui tapaient dans leurs mains.

François Martin se pencha vers son ami U Tin Maug et lui demanda des précisions sur le sens de la fête. À ce moment, un garçon arriva en courant et se planta devant Mya.

Il avait une belle tête ronde, de petits yeux bridés, et devait avoir au moins seize ou dix-sept ans. Du haut du camion, Ko Than s'adressa à Zack en hurlant :

— C'est Chésubé. Il sera aussi novice. Il est amoureux de Mya.

Heureusement, le nouveau venu ne semblait pas comprendre le français.

Mya devint rouge écarlate. C'était clair qu'elle aurait volontiers frappé son frère.

Zack observa attentivement Chésubé et remarqua le regard insistant qu'il posait sur Mya. « Ko Than a raison, ce gars-là a le béguin pour sa sœur », se dit Zack.

Mya reprit peu à peu le contrôle de ses émotions et déposa sa main sur l'épaule de Zack tout en saluant froidement le nouveau venu. Zack jubilait. Le message était clair : Chésubé avait perdu sa place. Déçu, celui-ci tourna les talons et disparut dans la foule.

Pendant ce temps, U Tin Maug donnait quelques explications à François Martin :

— Le *Shin Pyu* constitue un événement extrêmement important pour un jeune Birman. C'est une étape fondamentale de sa vie.

Zack observait les futurs novices qui marchaient heureux aux côtés de leurs parents et amis. Il se demandait pourquoi le séjour au monastère était si important et qu'est-ce qu'on y faisait exactement.

Le père de Mya lui apporta une réponse.

— Au monastère, Ko Than apprendra à découvrir le chemin à emprunter pour se rendre jusqu'à lui-même. Il saura alors comment vivre en accord avec ses pensées, avec les gens qui l'entourent, avec son corps et avec ses passions. Mon fils cultivera ses facultés mentales tout en accordant ses actes à ses paroles.

— La sagesse, quoi! tenta de résumer François Martin.

— Oui, une sorte d'idéal de la vie humaine, acquiesça U Tin Maug. Et cette quête commence par la connaissance de soi avant la connaissance du monde.

« Alors, ce serait ça, le monastère, se dit Zack. La connaissance de soi… »

Son cerveau contenait des informations sur une multitude de sujets. C'était tout juste si ça ne lui sortait pas par les oreilles. Mais sur lui-même, il ne savait pas grand-chose si ce n'était QU'IL REFUSAIT DE DEVENIR CELUI QUE SES PARENTS AVAIENT DÉCIDÉ QU'IL SERAIT. La seule pensée qu'il pourrait être un clone de Mathilde Dumais ou de François Martin le révoltait. Il commençait à peine à s'affranchir du poids de sa famille. Sa libération s'était amorcée ce fameux mardi, lorsqu'il avait donné ses cahiers à Étienne. Il avait alors compris tout ce qu'il avait manqué ces dernières années en se conformant aux exigences de ses parents. Une fenêtre s'était ouverte dans sa vie : il avait découvert qu'on ne lui avait pas appris à vivre avec les autres, mais à les dominer. Maintenant, il savait que ce n'était pas dans sa nature de se comporter comme ça. Mais comment devait-il se comporter ?

La procession quitta la rue et s'engouffra sous une immense arche de béton peinte de turquoise, de rouge et de blanc et sur laquelle on pouvait deviner des dessins de rosettes et de fleurs. Les gens pénétraient sur le terrain du monastère en se serrant les uns contre les autres.

Quelques mètres plus loin, sur la gauche, se trouvait un stûpa doré en forme de cloche qui ressemblait un peu à la pagode Shwedagon en plus petit. Il était surmonté de décorations en forme d'épis de maïs en métal incrustés de joyaux.

À droite, un pavillon couvert d'un toit de tuiles rouges aux extrémités relevées abritait un Bouddha assis.

La foule marchait maintenant en silence sous des arbres immenses qui jetaient leur ombre sur la belle cour intérieure où poussait une variété de plantes vertes et de fleurs sauvages. Une bonne odeur de terre humide se mêlait au parfum des fleurs. Une cinquantaine de bananiers, de manguiers et de cocotiers donnaient une allure de jungle tropicale à l'endroit.

Un peu plus loin, ils découvrirent un terrain de jeu couvert de sable blanc. Des ballons traînaient encore sur le sol. Ils empruntèrent ensuite un sentier de gravier qui menait jusqu'à l'imposant monastère construit en bois de tek. C'était un bâtiment solide comprenant deux étages.

Les invités prirent place dans le grand pavillon ouvert situé face à la bâtisse principale.

— C'est le *zayat*, lui expliqua Mya. C'est là que les fidèles de l'extérieur s'installent pour les fêtes et les pèlerinages. Les hommes et les femmes de la ville peuvent en tout temps venir y méditer.

La cérémonie commença. Deux femmes assises sur les talons, face à face, tendaient un linge blanc tandis qu'un moine tondait le crâne d'un novice en récitant des paroles que Zack ne comprenait pas. Les cheveux tombaient en rebondissant sur le tissu.

L'instant était solennel.

On recueillait avec respect les cheveux d'un garçon, puis celui-ci laissait la place au suivant et revenait quelques minutes plus tard habillé de la robe rouge safran clair. Il déclamait alors à trois reprises une prière que Zack connaissait par cœur après l'avoir entendue répéter des centaines de fois par Ko Than. Mya lui avait expliqué qu'il s'agissait de la demande formelle d'entrer au monastère. Après avoir obtenu une réponse positive à leurs demandes, les garçons récitaient les dix préceptes du Bouddha.

Puis, le moine qui présidait à la cérémonie tendait au novice son bol à aumônes.

— Tu as vu, Zack ? dit Mya, excitée. Il lui a donné le bol. Ça veut dire qu'il n'est plus un enfant, maintenant. Il est devenu un homme et il sera reconnu par tous en tant que moine.

Zack observait la belle robe rouge des novices qui tombait jusqu'à leurs chevilles et laissait l'une de leurs épaules découverte.

C'était une transformation extraordinaire. Comme si chaque garçon devenait un petit Bouddha.

Il prit doucement la main de Mya. Elle se tourna vers lui et vit une prière dans ses yeux.

Ko Than s'éloignait déjà d'eux lorsque Mya, se penchant vers Zack, lui dit rapidement :

— Tu en as envie, Zack, vas-y. C'est juste trente jours de ta vie. Tu es malheureux comme les pierres. Va te libérer.

C'était tout ce que Zack attendait pour s'élancer à la suite de Ko Than.

Il le dépassa rapidement et se glissa à genoux aux pieds du moine. Celui-ci leva les yeux sur U Tin Maug, l'interrogeant du regard. Voyant qu'il secouait affirmativement la tête, il entreprit aussitôt de réciter les prières et de tondre la tête du garçon.

Zack était heureux. Chaque mèche de cheveux qui tombait était un barreau arraché à sa cage.

Sans perdre une seconde, Mya s'était approchée de François Martin et, sur un ton banal, avait engagé la conversation. Elle s'informa de la santé de son épouse, puis elle enchaîna question sur question pour garder son attention sur elle le plus longtemps possible.

« Vous aimez le Myanmar ? »

« Parlez-vous le birman ? »

« Souhaiteriez-vous un jour habiter en Asie ? »

« Qu'est-ce que vous faites dans la vie ? »

« Fait-il déjà froid, au Canada ? »

Mya débordait d'imagination, et le moine avait pratiquement terminé de raser la tête de Zack lorsque son père s'en aperçut.

— Qu'est-ce que… s'étouffa François Martin en essayant de parler.

Il était dépossédé momentanément de ses facultés intellectuelles.

U Tin Maug n'avait rien perdu de la scène : ni les regards amoureux de Mya et de Zack, ni sa main dans la sienne, ni le chuchotement de sa fille à l'oreille du garçon.

Il avait compris que Zacharie n'était pas bien. On n'arrête pas du jour au lendemain de parler sans avoir une bonne raison. Quelque chose s'était passé. U sentait que le fils comme le père souffraient intérieurement.

« Ce séjour au monastère sera bénéfique au garçon et – qui sait ? – peut-être aussi à son père », se dit-il.

— Tiens, tiens, commenta à haute voix U Tin Maug en mettant une main amicale sur l'épaule de François Martin. Il semble bien que ton fils ait fait le choix du noviciat…

— Ce n'est pas possible, balbutia le père de Zack.

— Les enseignements du Bouddha s'adressent à tous, répliqua pour la forme le père de Mya.

Voyant que son ami n'arrivait pas à reprendre ses esprits, U Tin Maug tenta de l'apaiser.

— Zack a fait un choix très important, lui expliqua-t-il.

— Voyons, Zacharie n'est pas en état de faire un choix ! Tu le vois bien ! Il ne parle même plus. Pas un son ne sort de sa bouche. C'est… c'est une plaie, cet enfant ! s'exclama François Martin, redevenu lui-même.

Zack observait son père du coin de l'œil. Puis il vit Mya qui lui souriait.

Ko Than était heureux de voir que Zack l'avait rejoint.

Chésubé n'était pas du même avis.

— Tu verras, assurait U Tin Maug à son ami, il t'enseignera le Dharma[1] à son retour. Sois patient, ajouta-t-il doucement.

— Si sa mère voyait ça ! reprit François Martin, découragé devant son fils complètement chauve. Ses cheveux, « ses belles boucles », comme elle les appelle.

---

1. Le Dharma est l'ensemble des enseignements donnés par le Bouddha.

— Ils seront enterrés près de la pagode, l'informa gentiment Mya, qui suivait la conversation avec le plus vif intérêt.

— Ce n'est pas en lui disant ça que je vais la rassurer ! commenta ironiquement François Martin.

Il quitta les lieux sans se retourner.

13

Monastère bouddhiste, premier jour du noviciat.

Après le départ de son père, Zack grignota quelques fruits au buffet de fête préparé pour l'occasion. Il n'avait pas quitté Mya des yeux, se remplissant d'elle, voulant emporter avec lui le timbre de son rire, la lueur de ses yeux, la couleur de ses lèvres, la douceur de sa main, son odeur, sa façon d'être, de se déplacer, de parler, espérant que tous ces petits morceaux de souvenirs lui tiendraient compagnie au monastère.

Zack était amoureux. Totalement amoureux, tellement amoureux !

Il se rendait compte de l'étrangeté de la situation. L'enseignement bouddhiste qu'il s'apprêtait à suivre lui dicterait sans doute de rejeter ce genre de sentiment passionnel.

Peut-être... il n'en était pas certain.

Malgré tout, il voulait vivre cette retraite au monastère. Pour fuir son père, bien sûr, mais aussi parce qu'il souhaitait y découvrir ce qui lui manquait. Il sentait que quelque chose le dévorait de l'intérieur et il n'avait pas d'armes pour lutter contre cet ennemi.

À Montréal, il avait vécu une situation étrange. Du jour au lendemain, tout ce qui lui paraissait important et le passionnait lui était apparu d'un seul coup superficiel, sans aucun intérêt. Il avait perdu pied, sans espoir de retrouver ce qui l'aiderait à vivre.

Un vide s'était installé en lui.

Pendant une semaine, il s'était assis dans une classe sans dire un mot, sans regarder qui que ce soit. Son être était tout entier tourné vers les pensées destructrices qui l'envahissaient de plus en plus, comme une maladie se développant dans ses chairs.

La surprise de son départ pour le Myanmar l'avait momentanément affranchi de cette noirceur, mais il savait qu'elle était toujours là, tapie quelque part au fond de son être et prête à s'emparer à nouveau de lui. Il devait trouver comment contrôler les sentiments qui le faisaient basculer dans cet état de tristesse sans nom. Et ça, Mya ne pouvait pas le faire à sa place, il le savait, et elle le savait. C'était sans doute pour cette raison qu'elle l'avait encouragé à entreprendre cette retraite.

À midi, tous les parents et amis quittèrent les lieux. Zack observa U Tin Maug étreindre son fils en lui disant au revoir. Son cœur se serra.

Enfin, il ne resta plus qu'une centaine de garçons, la tête fraîchement rasée. Ils furent invités à entrer dans le monastère et y furent accueillis par de vieux moines qui leur souriaient en joignant les mains devant leur poitrine et en inclinant légèrement la tête.

Les novices prirent place dans une grande salle rectangulaire au plancher de bois usé par des milliers de pas. De larges piliers couverts de miroirs et de céramiques de toutes les couleurs supportaient un haut plafond.

À l'une des extrémités de la pièce, la statue dorée d'un immense Bouddha assis leur souriait paisiblement. À sa droite, une ombrelle de cérémonie était plantée dans un pot de grès tandis qu'à sa gauche une bibliothèque couvrait le reste du mur. Des centaines de livres y étaient posés pêle-mêle. Ils semblaient tous plus usés les uns que les autres.

À l'autre bout de la pièce, faisant face au Bouddha, une fresque racontait la vie de Siddharta Gautama, un prince devenu ascète dans le nord de l'Inde il y avait environ 2 500 ans. Après avoir médité pendant des années, il avait atteint l'Illumination et était devenu celui que l'on appelait le Bouddha.

Les jeunes garçons furent invités à s'asseoir à même le sol pour écouter une longue série de discours.

Chaque moine se présentait et parlait très longtemps. Trop longtemps. Zack essayait de toutes ses forces de saisir le sens des discours, mais en vain. Il comprenait maintenant ce qu'il avait lu dans le guide de voyage à propos de la langue birmane : « Le birman, tout comme le chinois, est une langue tonale… » Les moines parlaient d'un ton monocorde avec des intonations longues, courtes, montantes ou descendantes. Tous ces mots formaient une étrange mélodie qui engourdissait l'esprit de Zack.

Le temps passait. Lentement.

Zack se demandait s'il était possible que le temps passe plus lentement dans un monastère que dans tout autre endroit. Albert Einstein avait bien prouvé que le temps s'écoulait différemment si on était à l'arrêt ou en mouvement[1]. Ici, les moines méditaient à cœur de jour, et Zack avait lu quelque part que leurs fonctions cérébrales ainsi que leur rythme cardiaque ralentissaient pendant la méditation, car ils s'abstenaient alors de toute action physique ou mentale. Ça influençait peut-être le temps, en concluait Zack, pour qui la journée passait anormalement au ralenti.

Comme il n'avait plus de montre (on avait enlevé aux novices toutes leurs possessions), il tentait d'évaluer depuis combien de temps il était dans cette pièce ; certainement plus de trois heures.

Enfin, un jeune moine distribua des livres aux autres garçons. Zack se demanda pourquoi il avait été oublié. Il

---

1. Albert Einstein (1879-1955). Physicien allemand. Son nom reste surtout attaché à la théorie de la relativité, qui ébranla les notions traditionnelles d'espace et de temps.

comprit en regardant celui de Ko Than : le recueil était écrit en birman.

Les garçons commencèrent à lire les textes à haute voix. Zack se tortillait, fatigué d'être assis à même le sol. Il avait envie de s'étendre de tout son long et de dormir. Et puis son ventre gargouillait, car il avait à peine touché au buffet. Il avait faim.

Enfin, on prit une pause d'environ une demi-heure, au cours de laquelle Zack fit connaissance avec les étranges toilettes qui se résumaient à un trou dans le plancher. Et les novices purent boire autant de jus de fruit et d'eau qu'ils le voulaient.

L'enseignement reprit. Zack examinait chaque garçon qui se trouvait à proximité, cherchant un élément qui le différenciait de l'autre : oreilles courtes, décollées, nez long, plat, crochu, retroussé, yeux plus ou moins bridés, peau brune, pâle, foncée, etc.

Beaucoup plus tard, ils étaient toujours là. Par l'une des fenêtres, Zack vit que le soleil était sur le point de se coucher. Maintenant, son ventre criait famine. Il regarda Ko Than en se frottant l'abdomen. Celui-ci haussa les épaules et dit :

— *Kei sa ma hyi ba bu*[1].

Puis il poursuivit sa lecture.

---

1. « Ça n'a pas d'importance. »

« La faim, c'est son quotidien », pensa Zack tristement, sans savoir exactement ce que son ami avait dit.

Finalement, un moine vint le chercher. Il était plus grand et plus jeune que les autres.

Arrivé à son bureau, le moine ferma la porte derrière lui, prit un petit livre sur une étagère et le lui tendit.

Zack regarda le titre : *Wisdom of the Buddha.* « La sagesse du Bouddha », traduisit Zack pour lui-même, en ouvrant le livre aussitôt.

— Bien… tu lis l'anglais, n'est-ce pas ? lui demanda le moine dans un français impeccable.

Zack hocha la tête affirmativement, sans lever les yeux du livre.

— C'est bien, car nous n'avons pas de textes en français. Ce sera ton livre d'étude. Lorsque tu seras dans la grande salle avec les autres novices, tu devras t'asseoir face au Bouddha et tenir le livre dans tes deux mains. Essaie de calmer tes pensées et lis lentement, en prononçant les mots un à un et en les laissant pénétrer dans ton cœur.

Voyant le jeune novice inquiet, le moine ajouta :

— Rassure-toi, il n'y a pas d'examen ici.

Zack souffla de soulagement.

— Non, ajouta le moine en riant. Tu n'as pas de compte à rendre. Tu lis les enseignements du Bouddha et tu prends ce qui te convient.

Voyant que le garçon ne comprenait pas le sens de ces paroles, il s'arrêta.

— Assieds-toi, Zacharie, lui proposa-t-il en lui désignant une table et deux chaises.

Le moine prit place sur l'une d'elles et poursuivit :

— Tu viens du Canada, n'est-ce pas ? De Montréal ? U Tin Maug nous a donné ces renseignements. Il nous a aussi avertis que tu gardais le silence. Nous respecterons ton choix. Bon, reprenons. Disons que tu quittes Montréal en voiture et que tu décides de te rendre à Québec…

Zack secoua la tête pour montrer qu'il suivait.

— Ton but, c'est d'aller à Québec.

De nouveau Zack se sentit obligé de signifier qu'il comprenait.

— Transposons cela, en supposant que le but de l'enseignement du bouddhisme est de t'emmener dans cette ville. Au cours de ton voyage, tu peux décider de t'arrêter à Belœil, à Saint-Hyacinthe, à Drummondville ou dans un des nombreux villages qui se trouvent sur la route.

Zack était curieux de savoir comment le moine pouvait si bien connaître sa province.

— J'ai étudié à Paris, expliqua le moine, qui avait saisi le regard interrogateur du garçon. C'est là que j'ai appris le français. Par la suite, j'ai passé plusieurs étés au Québec.

Le garçon hocha la tête.

— Ainsi va la vie, poursuivit le moine. Le bouddhisme t'invite à te diriger vers un but. Il te propose des règles à suivre, une route, si tu veux… Mais c'est à toi seul de décider de l'itinéraire. Tu peux aussi bien choisir de ne jamais te rendre à Québec, t'arrêter à Saint-Gilles et t'y installer pour le reste de tes jours. Le bouddhisme te montre la voie. C'est tout.

Voyant que Zack avait compris, le moine continua en lui montrant du doigt le livre des enseignements du Bouddha :

— Lis-en de courts extraits. Parfois, une ligne suffira. Prends ton temps. Si tu as saisi un seul des enseignements du Bouddha et si tu peux le mettre en pratique dans ta vie, ta retraite aura porté ses fruits.

Il lui semblait que le garçon comprenait bien ses paroles. Il était concentré et éveillé à ce qu'il lui disait. Le moine était content.

— Demande-toi, Zacharie…

Il s'arrêta, regarda le garçon, puis continua :

— Je présume que tu préfères qu'on t'appelle Zack ?

Le garçon sourit de toutes ses dents.

— Alors, Zack, quand tu as lu quelque chose, interroge-toi : « Qu'est-ce que cet enseignement signifie pour moi si je le transpose à ma propre vie ? » Tu comprendras alors ce que doit être « l'action juste » et, plus tard, tu pourras accorder tes actes à tes pensées.

Le moine se leva et prit une assiette dans le buffet. Elle était recouverte d'un tissu orange qu'il retira avant de la déposer devant Zack.

— Je sais que tu souffriras de la faim beaucoup plus que tes camarades, car tu es habitué à manger plusieurs fois par jour.

« Oh oui », se dit Zack en comptant rapidement dans sa tête le déjeuner, le dîner, le souper et au moins trois ou quatre collations par jour.

— Je vais t'aider un peu. Tu dois cependant savoir que la règle veut que les moines novices mangent le matin, puis une autre fois avant que l'horloge ne marque midi. Après, tu pourras seulement boire. De midi au lendemain matin, on ne doit rien manger.

Zack le regarda, incrédule. Deux repas pour toute une journée ? Il baissa la tête et découvrit le contenu de l'assiette : cinq petites boules de riz du diamètre d'une grosse bille et cinq raisins secs.

Il les engouffra en quelques secondes en espérant en recevoir davantage. Mais le moine se levait déjà.

Il lui tendit un petit sac.

— Prends ça. U Tin Maug l'a laissé à ton intention. Comme tu ne parles pas, tu pourrais en avoir besoin pour communiquer. Mais s'il te plaît, utilise-le avec parcimonie.

Le moine ramena Zack dans la grande salle, où il reprit place à côté de Ko Than. Il l'observa quelques instants et déduisit que son ami était sans doute en train de méditer. Il était assis dans la même position que le Bouddha, les mains appuyées sur les genoux, paumes tournées vers le ciel. Ko Than lui avait expliqué plus tôt l'importance de se concentrer sur le moment présent : « Tiens-toi en arrière de tes pensées et regarde-les. Tu verras qu'elles t'empêchent d'être heureux. Essaie, Zack, de vider le contenu de ton esprit de tout ce qui concerne le passé ou l'avenir. » Zack avait bien essayé, mais il en avait été incapable.

Il ouvrit le sac que lui avait remis le moine et découvrit qu'il s'agissait du cahier et de toutes les choses qu'il avait achetées avec Mya.

Comme le moine l'observait toujours, il mit le sac de côté, prit son livre d'enseignements et lut la première ligne de la première page :

« *ALL THAT we are is the result of what we have thought: it is founded on our thoughts, it is made up of our thoughts*[1]. »

Zack traduisit la phrase en ses propres mots :

« Tout ce que nous sommes est le résultat de ce que nous avons pensé, a été formé à partir de nos pensées, est façonné par nos pensées. »

Il déposa le livre par terre à côté de lui et réfléchit à ce qu'il venait de lire.

Quinze minutes plus tard, il reprit le livre et relut le

---

1. *Wisdom of the Buddha: The Unabridged Dhammapada*, traduit par F. Max Müller, Dover Thrift Editions, 2000, page 1.

début de la première phrase en cherchant à l'appliquer à sa propre vie.

« Tout ce que je suis est le résultat de ce que j'ai pensé. Je suis ce que je pense. Est-ce que ça voudrait dire qu'il n'y aurait que mes pensées qui déterminent celui qui est Zacharie Martin ? Celui que je suis ? »

Il n'en lut pas plus ce jour-là.

14

Monastère bouddhiste, deuxième jour du noviciat.

À cinq heures du matin, le moine principal réveilla les novices. Zack, épuisé par la nuit qu'il venait de passer, regarda les autres garçons qui étaient déjà debout. Il pouvait deviner en les observant lesquels d'entre eux avaient l'habitude de vivre dans des conditions aussi difficiles. C'était ceux qui se levaient comme si de rien n'était et se penchaient aux fenêtres pour tenter d'apercevoir les dernières étoiles. Les autres se mettaient debout avec difficulté, le corps épuisé par une nuit sans sommeil.

La veille, Zack avait été presque horrifié en découvrant qu'il n'aurait pas de lit ni la moindre couverture, pas plus qu'un oreiller. Les moines novices couchaient à même le sol, sur de minces nattes d'osier, étendus les uns à côté des autres. Le moine leur avait interdit de parler jusqu'au lendemain.

Heureusement, Ko Than était toujours près de lui. Il avait souffert du froid toute la nuit et il avait pleuré. Zack avait pris sa main et mimé dans sa paume, là où ça chatouille le plus, « la petite bibitte qui patine sur le bout des pieds ». Ko Than s'était retenu de toutes ses forces pour ne pas éclater de rire. Quand il n'en pouvait plus, c'était au tour de Zack de subir le supplice.

Ainsi avaient-ils lutté ensemble contre l'inconfort, la faim et le vent glacial qui s'infiltrait entre les planches des murs.

Zack était perdu dans ses pensées, en compagnie de Mya, lorsque le moine les avait interpellés et entraînés vers les robinets. Ils devaient remplir leur seau puis aller se laver un peu plus loin.

L'eau était glacée. Zack réduisit l'opération au minimum. Puis, le moine les emmena dans une salle où un autre moine commença un long discours.

Zack frotta son estomac qui criait famine. Tout son corps n'était qu'inconfort, son dos, ses épaules et ses reins endoloris par cette longue nuit passée sur une natte.

L'officiant se leva enfin. Zack respira mieux. Il allait manger.

Les moines donnèrent à chaque garçon un grand bol de bois au fond plat.

Zack mouilla ses lèvres, prêt à engouffrer n'importe quoi. Il attrapa vivement son bol et eut alors la mauvaise surprise de constater qu'il était vide.

— Les moines ne peuvent manger que ce qui leur est offert, lui chuchota Ko Than. Maintenant, c'est l'heure de la *Pindapaata*. On doit sortir du monastère et faire la tournée pour recueillir la nourriture.

Zack se souvenait qu'il avait vu, un matin, à Bangkok, des moines dans leur robe rouge safran, le crâne rasé et les pieds nus, présenter leur bol aux passants afin qu'ils y jettent des aumônes.

Les novices se rassirent, le bol coincé entre leurs genoux, pour écouter le moine énoncer les règles qui régissaient la *Pindapaata*.

— Vous n'êtes pas autorisés à faire du bruit, traduisit à mesure Ko Than, à crier ou à chanter pour attirer l'attention des gens. Vous marcherez en silence et accepterez toutes les donations qui vous seront faites. L'important n'est pas ce qui est offert, mais l'état d'esprit de celui qui offre. Vous n'êtes pas des mendiants. Bien au contraire. Vous donnez aux autres, qui ne sont pas moines, la chance de gagner une vie meilleure en offrant quelque chose aux disciples de Bouddha.

Les règles ayant été bien comprises, le moine invita les novices à quitter le monastère.

Zack tenait le bol de bois tout contre lui, l'enserrant de ses bras. Il était grand et lourd. Le soleil se levait. Il devait être six heures du matin.

Zack, immobile, regarda les autres joindre la file qui s'étendait déjà jusqu'au centre de la cour du monastère et se dirigeait vers l'extérieur de l'enceinte.

« Comme des fourmis, se dit-il. Petits et grands

hommes aux crânes rasés, habillés de leur robe rouge, sortent de la fourmilière à la queue leu leu pour chercher la nourriture. »

Il tenta en vain de remonter sa robe pour couvrir son épaule dénudée exposée au matin glacial. Comme il descendait la dernière marche menant à la cour, les cailloux lui mordirent la plante des pieds.

Les autres novices ne les sentaient pas, habitués à courir dehors pieds nus depuis leur tendre enfance. La corne sous leurs pieds formait des semelles et les rendait insensibles à la douleur.

Une terrible crampe comprima de nouveau son estomac.

« Les autres garçons sont minces et ont de petits estomacs. J'ai besoin de beaucoup plus de nourriture qu'eux », se plaignit Zack en lui-même.

À peine rendu au milieu de la cour, une envie irrésistible d'abandonner ce supplice le saisit. Il avait tout à coup la nausée. Ses pieds délicats lui faisaient mal à chaque pas. « Personne ne m'oblige à mourir de faim et de froid et à endurer ces cailloux qui me transpercent la chair », se dit-il en lui-même.

Le voyant hésiter, Chésubé se retourna et lui fit un clin d'œil.

Zack saisit le message : « Alors, l'Occidental, on regrette son petit confort douillet ? »

Il oublia aussitôt ses peines et sortit de la cour la tête

entre les épaules, accroché à ce bol qu'il n'avait plus que le désir de voir se remplir.

Zack était le dernier dans la file des moines.

Son père, posté sur le trottoir à quelques mètres de la sortie du monastère, l'attendait de pied ferme. Lorsque son fils fut à sa hauteur, il se dirigea vers lui, décidé à le ramener à l'ordre :

— Zacharie Martin, arrête-toi, ordonna-t-il.

Le moine novice, tête baissée, continua sa route du même pas. François Martin le suivit en criant :

— Tu vas mettre fin à ce cirque, Zacharie. Tu es ridicule !

Zack ne l'écoutait pas. Il ne lui accorda pas le moindre regard.

François Martin serra les poings. Levé à cinq heures trente du matin pour ramener cet imbécile de fils avec lui, il avait bien l'intention de le faire. Il s'apprêtait à saisir Zacharie par la manche de sa robe rouge lorsqu'il remarqua des Birmans qui s'offusquaient de son attitude. Hors de lui, il tourna les talons et partit sans se retourner. De retour à son hôtel, il se fit livrer un déjeuner pour deux qu'il mangea lentement, en souhaitant que son fils crève de faim. Demain, il s'y prendrait autrement.

Environ une heure plus tard, Zack et Ko Than revinrent ensemble au monastère, leur bol rempli de bonnes choses. Les gens donnaient généreusement malgré leur pauvreté. Au moment où les moines entraient dans la cuisine, les femmes responsables des repas les invitèrent à vider leur bol sur la grande table.

Zack imaginait déjà les plats qu'elles pourraient cuisiner pour le repas du midi avec tous ces ingrédients frais.

Puis, les novices s'assirent sur le sol et mangèrent leur petit-déjeuner constitué d'un bol de soupe claire avec une poignée de riz trop cuit collé au fond. Malgré ce goûter, l'estomac de Zack lui faisait toujours mal tant il avait faim, une faim atroce qui occupait maintenant tout son corps et toutes ses pensées.

Il devait être environ huit heures trente lorsqu'ils retournèrent dans la salle d'enseignement. Zack avait apporté son cahier et son crayon. Pour apaiser son estomac, il commença à inventer une recette de crêpes salées, mais il dut s'arrêter lorsqu'il se rendit compte qu'un moine âgé l'observait.

Il rangea aussitôt le cahier dans son sac et attrapa son livre d'enseignements du Bouddha pour y chercher une nouvelle phrase sur laquelle méditer.

Mais sa faim l'empêchait de se concentrer. Alors, il décida qu'il valait mieux relire la première pensée du livre :

« Tout ce que nous sommes est le résultat de ce que nous avons pensé, a été formé à partir de nos pensées, est façonné par nos pensées », traduisit à nouveau Zack.

Il tenta d'analyser les mots en fonction de sa propre

vie, mais ses pensées le ramenèrent à Montréal. Il oublia le monastère, le Myanmar, son amour pour Mya et son amitié pour Ko Than. Sa colère éclata de nouveau, l'envahissant et prenant toute la place dans ses pensées. Il se repassa en boucle les moments ratés de son enfance, les fausses promesses et les espoirs qu'il avait entretenus en vain.

Zack pleura sa rage de ne pas être apprécié par ses parents, d'être considéré comme un accessoire dans leur vie au même titre que leur appartement, leurs meubles, leur belle voiture. Il repensa à son enfance ratée, aux amis qu'il n'avait pas eus, aux jeux auxquels il n'avait pas joué, trop occupé à faire le chien savant pour qu'on le regarde et qu'on l'aime enfin.

Quand il revoyait dans ses souvenirs le beau visage usé de Mme Monarque, un tel ressentiment le submergeait qu'il en avait du mal à respirer. Sa meilleure amie était morte, disparue pour toujours, et personne n'avait pris la peine de l'en informer.

Tout le temps qu'il passa dans la salle d'enseignement, ce matin-là, lui servit à ressasser sa colère. Il n'eut même pas une toute petite pensée pour Mya, tant il était happé par la haine qu'il éprouvait pour son père et sa mère.

Lorsque le moine annonça qu'il était temps d'aller manger avant qu'il ne soit midi, il fut heureux de se libérer de son passé.

Les garçons affamés se précipitèrent dans le réfectoire et s'assirent par terre autour de longues tables basses sur lesquelles on avait déposé des assiettes de métal et des cuillères à soupe. En silence, les cuisinières leur apportèrent de grands bols remplis d'une substance qui devait sans doute être comestible, mais qui dégageait une odeur bizarre.

Zack goûta du bout des lèvres. S'il n'avait pas eu si faim, il aurait craché ce qu'il avait dans la bouche. C'était tout simplement infect. Il avait beau chercher comment les cuisinières avaient pu arriver à pareil résultat, il ne trouvait pas. Ko Than lui donna finalement l'explication :

— Elles ont mis la viande, les légumes et le riz à cuire dans un immense chaudron et elles ont recouvert le tout avec de l'eau. Je les ai vues. Ce n'est pas trop mal, n'est-ce pas ?

Zack secouait la tête de découragement. Il savait bien que Ko Than mangeait aussi mal à la maison.

Après le dîner, ils profitèrent des deux heures de liberté qui leur étaient offertes pour se promener à l'arrière du monastère. Ils y découvrirent une dizaine de bouddhas aux visages usés par les intempéries. Zack et Ko Than avaient l'impression que les statues allaient les interpeller tellement elles paraissaient vivantes. Leur peau de pierre s'était transformée au cours de leur séjour dans le jardin. Elle s'était plissée et étirée comme une véritable peau humaine fatiguée par les années.

Assis au milieu d'une végétation qui les enlaçait tendrement, les bouddhas semblaient heureux. Leurs fidèles compagnons les vénéraient en les fleurissant jour après jour et en étendant à leurs pieds un tapis de mousse émeraude.

Plus loin ils dénichèrent, émergeant entre les herbes hautes, une fontaine où flottaient de gros nénuphars.

Poursuivant leur exploration jusqu'au fond du terrain, Zack et Ko Than eurent la surprise de découvrir ce qui avait sans doute été, un jour, un jardin bien entretenu.

Les deux garçons se regardèrent un moment, suivant ensemble le même chemin mental, puis ils se mirent joyeusement au travail, arrachant les mauvaises herbes et découvrant toute une variété de fines herbes toujours vivantes. Ils arrosèrent soigneusement les plantes puis commencèrent à nettoyer la fontaine et ses environs jusqu'à ce que la cloche les rappelle à l'intérieur du monastère. Avant de quitter les lieux, Zack cueillit une branche de romarin dans le jardin et s'en frotta vigoureusement les mains.

L'après-midi se poursuivit en enseignements et en lectures. De temps en temps, Zack humait la bonne odeur enfouie dans ses mains et imaginait toutes les recettes à concocter avec cette plante délicieuse : baluchons de veau au romarin, crème brûlée au romarin, tarte aux abricots et au romarin, caviar d'aubergines, rôti d'agneau et escargots frits au gros sel et au romarin. Toutes ces saveurs qui se joignaient à l'odeur camphrée de la plante remontaient dans sa mémoire, et il s'en nourrissait en rêve.

Ko Than avait lu au moins une centaine de pages de son livre, alors que Zack s'en était tenu à cette fameuse phrase qui précédait toutes les autres :

« Tout ce que nous sommes est le résultat de ce que nous avons pensé, a été formé à partir de nos pensées, est façonné par nos pensées. »

La colère était alors remontée en lui comme un tsunami, détruisant tout sur son passage.

Quand le moine vint le chercher pour sa collation, Zack fut heureux d'échapper à lui-même. Il avait hâte de découvrir son goûter. Le moine avait peut-être compris qu'il devait manger un peu plus. Mais l'assiette ne contenait que quatre boules de riz et quatre raisins secs.

Zack comprit qu'on lui en offrirait chaque fois un peu moins. Malgré ces quelques aliments avalés à la hâte, la faim le tenailla toute la journée.

À la tombée du jour, les jeunes novices montèrent dans le dortoir et se jetèrent sur le plancher, exténués par cette journée inhabituelle.

Avant de fermer les yeux, Ko Than résuma leur nouvelle vie :

— Lever à cinq heures, suivi des prières, de la *Pinda-*

paata, du petit-déjeuner, de l'enseignement bouddhique et du dernier repas de la journée qui doit être pris avant midi.

Zack l'encouragea à continuer d'un signe de la tête.

— Après, on a deux heures de libres pour notre jardin, puis encore des enseignements. On doit boire beaucoup pour ne pas avoir trop faim. Puis on se couche. Bonne nuit, Zack !

Il lui répondit en écrivant dans son livre :

— On est amis pour la vie. OK ?

Ko Than était heureux.

Ils se couchèrent en boule pour conserver le plus de chaleur possible et s'endormirent aussitôt.

15

Monastère bouddhiste, troisième jour du noviciat.

Cinq heures quarante-cinq du matin.

Les deux garçons avaient mieux dormi que la veille, épuisés par ce régime d'abstinence et d'austérité auquel ils n'étaient pas habitués. Ils regardaient le ciel commencer à s'éclairer en espérant que cette nouvelle journée au monastère serait plus facile que les précédentes.

Une fois la prière du matin terminée, le moine commença la distribution des bols, car il fallait partir pour la *Pindapaata*, la récolte de nourriture. Zack appréhendait le froid. Ses pieds fragiles étaient meurtris d'avoir marché sur le gravier et l'asphalte. Il avait repris la dernière place dans la file et tentait de se protéger du froid en se cachant derrière celui qui le précédait.

Son père était posté au même endroit que la veille.

— Zacharie Martin, tu vas faire mourir ta mère d'inquiétude, lui dit-il sur un ton qui se voulait conciliant.

François Martin mentait sciemment. Ils avaient quitté Montréal depuis plus de deux semaines, et

Mathilde n'avait pas encore demandé des nouvelles de son fils. Elle ne savait même pas qu'il était entré au monastère. Ils avaient bien échangé quelques courriels, mais François n'avait pas trouvé les mots appropriés pour lui expliquer la situation.

De toute façon, il s'était dit que ce jeu allait prendre fin bientôt puisque sa mission au Myanmar était terminée. Il avait vérifié auprès de son employeur s'il avait un travail à offrir à U Tin Maug. La réponse avait été négative. Que pouvait-il faire de plus ? Rien ! Alors, aussi bien rentrer au Canada. Il y ferait son rapport sur l'aberrant projet de barrage hydroélectrique de Myitsone, en sachant pertinemment que ça n'allait rien changer du tout. Le monde était plein de bonnes intentions, mais de là à passer à l'action, c'était autre chose.

— Arrête-toi, dit-il fermement à l'intention de son fils.

Zack continua sa route, recroquevillé sur lui-même, tentant d'échapper à cette plaie de paternel.

— Zacharie ! hurla François Martin. Espèce d'écervelé ! Tu l'as faite, ton expérience au monastère ? Tu es content ? Maintenant, rentre avec moi à l'hôtel et habille-toi convenablement.

Encore une fois, le père dut lâcher prise à cause de Birmans qui l'observaient en manifestant leur mécontentement. Dans ce pays, la population respectait les moines.

François Martin balança un billet de 5 000 kyats[1] dans le bol de son fils en disant :

— C'est ça que tu veux ?

Zack retourna aussitôt son bol, jetant par terre l'aumône de son père. Sans le vouloir, le garçon foula l'argent des pieds. Furieux, son père quitta les lieux et retourna directement à son hôtel. On y servait un buffet gastronomique pour le petit-déjeuner. Il mangea tout ce qu'il pouvait avaler : œufs, crêpes, toasts, viande, poisson, fruits, salades, pâtisseries.

De retour à sa chambre, il vomit son repas, puis sortit dans la rue prendre un peu d'air et tenter de se remettre d'aplomb.

Le reste de la journée, il marcha dans cette ville qu'il détestait maintenant, transportant sa colère d'un bout à l'autre de Yangon. Il marmonnait pour lui-même et gesticulait comme un fou. Les gens se retournaient sur son passage, se demandant qui était ce pauvre homme enragé.

— Je lui ai tout donné, ma jeunesse, mon temps, mon argent, radotait à voix basse François Martin. Tout ! Mais qu'est-ce qu'il veut, bon Dieu de bon Dieu ?

Zack avala tristement son petit-déjeuner. Il tentait tant bien que mal de chasser de son esprit le souvenir de son père, mais le timbre de sa voix résonnait toujours

---

1. Environ cinq dollars canadiens.

dans sa tête. Alors, pour mieux y arriver, il décida qu'il était temps de lire une nouvelle phrase de son livre *Wisdom of the Buddha*, « La sagesse du Bouddha ».

Il choisit une page au hasard :

« If one man conquers in battle a thousand times a thousand men, and if another conquers himself, he is the greatest of conquerors. »

Zack se concentra pour percer le mystère de cette parabole, la relisant plusieurs fois. Finalement, il conclut que le Bouddha voulait dire que le plus grand des conquérants n'est pas celui qui gagne des batailles contre des milliers d'hommes, mais plutôt celui qui devient maître de lui-même.

« Bon, comment puis-je appliquer ça à ma propre vie ? se demanda Zack pour suivre les conseils du moine. Mes mille ennemis se résument à une seule personne : mon père. Si je parvenais à le vaincre, ce ne serait rien. Mais si je deviens maître de moi-même, je serai le plus grand des conquérants. Oui, je crois que c'est ça que ça veut dire. »

Il se rappela l'enseignement tiré de la première phrase qu'il avait lue : « Tout ce que nous sommes est le résultat de ce que nous avons pensé, a été formé à partir de nos pensées, est façonné par nos pensées. » Indéniablement, ça se tenait : le tout était de devenir maître de ses pensées, donc de soi-même, et ainsi de devenir le véritable vainqueur.

Il réfléchit longuement, et l'heure du dernier repas de la journée arriva. Comme par magie, il avait oublié sa faim et l'inconfort de sa posture.

La nourriture lui sembla encore pire que la veille. Zack se demanda pourquoi les cuisinières faisaient encore bouillir le riz alors que les moines le recevaient déjà prêt à manger. Il n'y avait rien à comprendre dans cette façon de cuisiner. Le riz gonflait, devenait gélatineux, et tous les autres ingrédients se collaient à lui jusqu'à l'obtention d'une substance boueuse.

Ko Than mangea tout de même avec appétit.

— Il n'y a jamais rien à manger, chez nous, lui confia-t-il. Mon père n'a plus d'argent. Oh, Zack, continua-t-il sur un ton suppliant, j'espère que ton père pourra l'aider.

Il pleura en silence. Des larmes glissaient sur ses joues. Zack mit son bras autour de ses épaules et le serra contre lui.

— Mon père est en danger, reprit le garçon. Ceux qui gouvernent le pays lui ont fait perdre son travail parce qu'il a manifesté avec les moines en 2007. Tu sais de quoi je parle ?

« Non », répondit Zack d'un signe de la tête. Comment aurait-il pu le savoir ? Son père ne lui racontait jamais rien.

— Ici, les gens n'ont pas le droit de critiquer les dirigeants. Ce sont les militaires qui décident et qui tirent les ficelles. En 2007, il y a eu de grosses manifestations contre eux. Ils ont mis en prison des milliers de moines. Ils en auraient même battu un à mort. Mon père aussi a été arrêté. Ils l'ont libéré, mais j'ai toujours peur qu'ils l'enlèvent et qu'il disparaisse pour de bon. C'est pour ça qu'il a demandé à ton père de lui venir en aide.

Zack avait du mal à imaginer son père éprouvant de la compassion pour U Tin Maug. Il n'en avait jamais eu pour personne. Malgré tout, il prit son cahier et écrivit :

— Nous allons trouver une solution, j'en suis certain, Ko Than. Ne t'inquiète pas !

Après le dîner, Zack voulut se joindre à un groupe de moines novices pour une partie de *chinlon*. Ce sport se jouait à l'aide d'une balle en rotin tressé d'une douzaine de centimètres de diamètre. Les joueurs se mettaient en cercle et tentaient de garder la balle en l'air en se la passant avec le pied.

On s'amusait, sans véritablement en faire une compétition puisqu'on ne comptait pas les points. Cette façon de faire plaisait à Zack. Mais Ko Than s'interposa :

— Tu dois faire attention à tes pieds. Ils sont déjà assez blessés comme ça. Attends d'avoir de la corne, ça ne devrait pas être trop long, lui recommanda-t-il. Allons plutôt travailler dans notre jardin.

L'après-midi passa très vite. Zack se concentra pour comprendre l'enseignement du Bouddha. Il échappait ainsi aux idées noires qui envahissaient son esprit s'il n'y prenait pas garde.

Puis, le moine lui offrit ses trois boules de riz et ses trois raisins secs. Malgré tout, Zack souffrait toujours de la faim. Pourtant, le soir venu, il se coucha apaisé et heureux de sentir tous ses compagnons autour de lui.

Ici, il n'était plus seul.

16

Monastère bouddhiste, quatrième jour du noviciat.

Zack fut debout le premier. Il s'installa à la fenêtre pour réveiller les souvenirs de Mya qu'il avait enfouis dans sa mémoire. Il se la représentait comme une déesse, investie de pouvoirs apaisants. Pour la première fois de sa vie, il était amoureux. Mya et lui s'appartenaient, et le garçon espérait que leur destin les conduirait dans la même direction.

La vie sans Mya lui semblait impossible à imaginer.

Zack regarda ses camarades, moines novices comme lui, qui dormaient encore profondément. Au début, il ne parvenait pas à les différencier les uns des autres. Mais maintenant, il pouvait les appeler par leur nom. Ils étaient devenus, pour lui, des personnes exceptionnelles, soucieuses de laisser à l'autre la meilleure place ou le morceau de viande le plus appétissant. Zack se demandait si cette attitude était une conséquence de l'éducation bouddhiste.

Bientôt, tous les novices furent prêts à se mettre en route pour la *Pindapaata*.

Lorsqu'il croisa son père dans la rue, Zack l'entendit dire :

— Tu es un mendiant, Zacharie. J'ai honte de toi !

Le reste de la journée, il tenta de combattre cette voix qui lui répétait que son père le détestait, qu'il n'était rien pour lui et qu'il lui faisait honte.

Zack relut son livre d'enseignements. Il tentait de vider son esprit de toute forme de haine et de colère. Mais il n'y parvenait pas.

Lorsque le moine l'emmena à son bureau et lui tendit l'assiette qui contenait les deux boules de riz et les deux raisins secs, Zack mangea une portion de chacun et enveloppa l'autre dans un pan de son vêtement pour les offrir à Ko Than.

D'un signe de la tête, il remercia le moine, puis sortit rapidement rejoindre les autres novices dans la grande salle. Il glissa alors son trésor à Ko Than, qui en fut émerveillé. Dans le creux de sa main, ce butin semblait pourtant bien maigre à Zack. À sa grande surprise, Ko Than se tourna vers son voisin, qui était plus petit que lui, et lui offrit la boule de riz et le raisin sec. Le garçon, heureux, saisit le cadeau mais, après un moment de réflexion, le tendit à un autre garçon encore plus petit que lui.

Zack suivit des yeux le voyage de la boule de riz et du raisin sec.

Finalement, le plus jeune d'entre eux, un orphelin de six ans recueilli par le monastère, dégusta le trésor.

Zack reprit son livre, hésita, puis relut la première et la deuxième phrase. De nouvelles images d'une profonde tristesse envahirent ses pensées. De nouveau, il laissa monter sa colère, incapable de la maîtriser plus long-temps.

Enfin, le soir arriva. Il se coucha, toujours en proie à l'angoisse et à un sentiment d'abandon.

François Martin avait lui aussi passé une très mau-vaise journée. Ce matin-là, il avait dit à son fils des paroles qu'il regrettait : « Tu es un mendiant, Zacharie. J'ai honte de toi ! »

Puis, il avait tourné les talons et avait retrouvé son hôtel quatre étoiles. Maintenant, il se disait que tout allait de travers pour lui. Son meilleur ami, U Tin Maug, était en danger, et il ne pouvait rien faire pour l'aider. Il avait eu beau chercher, il ne trouvait aucune solution. C'était compliqué. Qu'est-ce qui allait arriver à Mya et à Ko Than si leur père disparaissait ? Car c'est ce qui pou-vait arriver dans ce pays lorsqu'on n'était pas du côté du pouvoir.

Il chassa ces pensées et se concentra sur le problème « Zacharie ». Il devait le sortir de ce monastère à tout prix. Ensuite, ils repartiraient pour Montréal. Il trouverait peut-être là-bas une solution pour U Tin Maug.

Encore une fois, il avait passé la journée à marcher dans la ville et à ruminer sa colère contre son fils. Cet enfant avait tout eu. Il l'avait même envoyé tous les étés dans le meilleur camp de vacances. Le plus cher. Et monsieur, au lieu de suivre les activités avec les autres garçons, s'enfermait dans les cuisines et passait ses journées à aider le chef. Les moniteurs avaient bien tenté de le raisonner, mais monsieur son fils répondait que c'était comme ça ou bien qu'il rentrait à Montréal. Le camp offrait des cours d'équitation, d'escrime, de ski nautique, de voile. Il y avait même une piste de karting. Rien de tout cela n'intéressait Zacharie, qui entrait dans les cuisines le matin et n'en sortait que le soir.

Quand il avait eu treize ans, le chef cuisinier avait offert de l'engager pour l'été à un salaire avantageux. Mathilde, couverte de honte, avait répondu qu'elle préférait payer les frais de séjour du camp même si Zacharie ne participait à aucune activité. Elle allait aussi défrayer le coût d'une assurance pour couvrir les risques associés à son travail. Il n'était pas question que son fils devienne officiellement aide-cuisinier.

Absurde. Elle aimait mieux payer pour que son fils n'ait pas l'air de travailler ! Ce garçon leur faisait vivre des situations aberrantes !

Alors, à la fin de chaque séjour, Mathilde faisait semblant qu'il revenait du camp, et aucun de leurs amis n'était au courant que leur fils jouait les cuisiniers pendant l'été.

Ils avaient vraiment tout fait pour lui. Zacharie avait

eu des bicyclettes de toutes les grandeurs, des vélos de course, de montagne, les meilleurs skis alpins, des planches à neige. « Chaque année une nouvelle paire de patins », continuait François Martin à voix basse.

Cette histoire de patins lui rappela tout à coup sa propre enfance. Il avait longtemps rêvé d'en recevoir une paire pour son anniversaire. C'était son souhait le plus cher. Chaque Noël, il était excité à la pensée qu'il allait enfin obtenir cette paire de patins. Il pourrait alors se joindre à ceux qui jouaient au hockey sur le lac gelé au bout de la ferme.

Assis dans le banc de neige, seul avec sa tristesse, il les regardait s'amuser, car à chaque Noël, il recevait une paire de gants de travail. Son père lui disait qu'ainsi il ne se ferait pas d'échardes en cordant le bois.

Celui-là ne jurait que par le travail.

« Zacharie, lui, a reçu des patins neufs à TOUS les Noël », marmonna-t-il. Et voilà comment il les remerciait !

Son fils l'humiliait en refusant d'obéir à ses ordres. La colère de François Martin montait encore et encore, comme une vague incontrôlable.

17

Monastère bouddhiste, cinquième jour du noviciat.

À six heures du matin, François Martin se posta à sa place habituelle et attendit le passage des jeunes moines novices. En frottant ses mains gelées, il se disait qu'aujourd'hui il ferait « casser » Zacharie. Il n'avait pas les moyens de rester une journée de plus dans ce quatre étoiles. On ne trouvait pas de guichets automatiques, dans ce foutu pays. Les sanctions économiques imposées par la communauté internationale en 2003 avaient poussé les banques étrangères à fermer leurs portes.

Pour le voyageur, cela signifiait qu'il devait arriver au Myanmar les poches pleines de dollars ou d'euros. Idéalement en coupures de cent et, surtout, flambant neufs.

Bref, il avait vu une bonne partie de son argent fondre comme neige au soleil dans ce luxueux hôtel. Il était temps de rentrer à la maison.

François Martin reporta son attention sur la procession qui arrivait.

Zack passa enfin devant lui. Il se sentit soudainement

gêné en la présence de son fils, mais il se ressaisit rapidement et, accordant ses pas sur les siens, lui balança :

— Je quitte Yangon aujourd'hui, Zacharie Martin. Tu viens avec moi ou tu restes. Choisis.

Zacharie passa son chemin sans lui accorder le moindre regard, tentant de se concentrer sur son programme de la journée. « Je vais terminer ma tournée de *Pindapaata,* puis, de retour au monastère, je lirai les enseignements du Bouddha, se disait-il. Vers quinze heures, lorsque le moine viendra me chercher pour ma dernière collation, je la refuserai, car je suis maintenant prêt à affronter la faim comme les autres garçons. »

François Martin enrageait de voir son fils l'ignorer. Il ne put retenir une cascade de jurons plus vulgaires les uns que les autres et retourna précipitamment à l'hôtel. Il fit ses bagages, laissa ceux de Zack au concierge, régla la note et héla un taxi pour se rendre à l'aéroport.

« C'est assez. Je l'ai averti. Je quitte le pays », marmonna-t-il en s'engouffrant dans la voiture.

Arrivé à l'aéroport, il s'assit sur un banc dans le grand hall afin de calmer sa fureur. « Zacharie est tellement intelligent, pensa-t-il en remuant d'inconfort dans ce siège trop dur et trop droit. Il pourrait devenir médecin… et réaliser ce que je n'ai pas été capable de faire. »

Refusé par la Faculté de médecine de l'Université Laval et de l'Université de Montréal, François Martin avait fait la honte de son père, qui ne le lui avait jamais pardonné. Ce même père avait acheté la trousse médicale de son petit-fils, qui allait enfin réaliser ses rêves. Pour son père, François Martin n'était qu'un petit ingénieur qui griffonnait à cœur de jour sur des bouts de papier.

Bien sûr, François avait lui aussi été déçu de ne pas être reçu aux examens d'entrée en médecine. Il désirait exercer cette belle profession. Mais travailler comme ingénieur spécialisé pour des projets hydroélectriques lui convenait parfaitement.

« Pour Zacharie, ce sera tellement facile ! se dit-il. Il est si brillant ! Il peut devenir un spécialiste, un neuro-logue, un cardiologue… Non, plutôt un chirurgien ! La façon dont il tient un couteau de cuisine témoigne de sa dextérité. Mais voilà qu'il ne va même plus à l'école. Il ne finira peut-être pas son secondaire 5 cette année. Quelle honte ! »

Un avion avait atterri et les passagers arrivaient dans la salle remplie de parents et d'amis venus les accueillir.

François Martin regardait ces gens s'enlacer, s'em-brasser, rire et pleurer de joie. Il y avait plein de tendresse entre ces pères et leurs fils, entre ces mères et leurs filles, entre les tantes, oncles, grands-parents, tous réunis pour célébrer des retrouvailles. Toute cette chaleureuse agita-tion bouleversait François Martin, qui cherchait à se rap-peler la dernière fois qu'il avait pris son fils dans ses bras… Peut-être quand il avait quatre ans. Probablement.

Il en avait maintenant quinze. François Martin toussota. Une profonde amertume s'était emparée de lui. Il avait tout à coup envie de serrer Zack contre lui. Son propre père ne l'avait jamais fait. Il donnait des ordres et maugréait à longueur de journée. Tous les membres de la famille se consacraient à son bonheur. Mais il n'était jamais satisfait.

Et voilà que Zacharie portait le flambeau. Il devait satisfaire aux désirs de son grand-père et endosser la profession qui lui avait été assignée…

François Martin se leva et se dirigea vers les toilettes.

En se regardant dans le miroir, il vit son père : le même regard dur, intransigeant. Des yeux accusateurs qui disaient : « Tu l'as fait exprès de me décevoir, François Martin. Tu n'es pas digne de porter mon nom. J'ai honte de toi ! »

« Serais-je devenu comme mon père ? pensa-t-il tout à coup, saisi d'effroi. Je suis en train de faire subir à Zacharie ce que mon père m'a fait endurer. Oh, mon Dieu, pourquoi est-ce que je ne laisse pas mon fils tranquille ? Pourquoi est-ce que je le poursuis sans arrêt ? Mon père m'a fait souffrir, et voilà que je fais la même chose à mon garçon. Et pourtant, je l'ai tant détesté, ce père. J'ai détesté sa honte de moi. Je l'ai haï parce qu'il ne me considérait pas comme une personne différente de lui.

« Mon fils, je ne le connais pas non plus. Je voudrais qu'il soit moi, bâti à mon image, et qu'il réussisse mieux que moi dans la vie. Pourquoi ? Pourquoi ? Est-ce que ça me concerne, ce qu'il veut faire de sa vie ? Je suis là pour le protéger. Pas pour l'humilier. »

François renonça à quitter le Myanmar et passa le reste de la journée assis sur le même banc inconfortable, le regard dans le vide, à se demander comment il en était arrivé à gâcher sa vie. Il avait été sur le point d'abandonner son fils de quinze ans dans un pays étranger. En plus, son meilleur ami avait besoin de lui, et plutôt que de l'aider il avait cherché à s'enfuir.

Vers vingt-deux heures, des préposés lui demandèrent de quitter les lieux, car on fermait l'aéroport pour la nuit.

Il rentra à Yangon et s'installa dans un petit hôtel qui ne lui coûterait pas trop cher. Après avoir déposé ses bagages dans la chambre, il sortit, acheta du mauvais whisky local et des cheroots, les cigares birmans. Il regagna sa chambre, but la bouteille de whisky jusqu'à l'ivresse et fuma tous les cigares qu'il avait achetés.

Soûl, il oubliait enfin.

18

Monastère bouddhiste, sixième jour du noviciat.

Zack, toujours étendu sur le sol, songeait aux grands yeux de Mya. Est-ce qu'il occupait aussi ses pensées à elle ? Il semblait que oui, car il la sentait tout proche de lui. Puis il se demanda si son père avait quitté le pays.

Il éprouvait maintenant du remords à son égard. La veille, il avait lu dans son livre *Wisdom of the Buddha* :

« *Not a mother, not a father, will do so much, nor any other relatives ; a well-directed mind will do us greater service.* »

Cet enseignement lui disait que sa pensée, bien dirigée, pouvait faire plus pour lui que n'importe quel membre de sa famille, que ce soit sa mère ou son père. Et le premier enseignement du Bouddha, qu'il résumait par « je suis ce que je pense », se juxtaposait parfaitement à celui-ci. De nouveau, le Bouddha lui indiquait qu'il était seul maître de lui-même et de son destin.

Tout cela venait considérablement changer l'angle sous lequel il envisageait ses problèmes avec ses parents.

Longtemps, il s'était dit : « Mon père et ma mère ne m'aiment pas. Ils ne savent même pas qui je suis. » Habité par la colère, la rage et le ressentiment, il avait remâché cette pensée jusqu'à en souffrir au plus profond de son être. « Pourtant, pensait-il maintenant, je ne contrôle pas ce que les autres ressentent pour moi. À quoi ça sert de me torturer si je n'y peux rien ? Ça ne me mène nulle part. Alors que si je dirige mes pensées ailleurs, je vais me libérer de mes chaînes. »

« C'est fou de découvrir qu'à quinze ans on peut s'enfermer soi-même dans sa propre prison », pensait Zack. Il se sentit soulagé. Pendant tout ce temps, il s'était totalement identifié à sa colère. Maintenant, il était en train de s'en libérer.

L'enseignement bouddhique commençait probablement à influencer sa pensée.

*   *   *

François Martin s'était levé avec un mal de tête insupportable, mais il tenait absolument à voir son fils. Il ne désirait pas lui parler. Juste le regarder et s'assurer qu'il allait bien.

Sous la douche glacée, il reprit un peu vie puis s'habilla à toute vitesse et courut se poster à l'endroit habituel pour surveiller l'arrivée des jeunes moines.

Et voilà qu'ils passaient paisiblement à côté de lui, son

fils parmi eux. Il avait honte de ce qu'il lui avait dit la veille. Il avait honte de s'être enivré de la sorte. Son garçon avait maigri, mais il semblait en paix avec lui-même.

François Martin occupa le reste de sa matinée à acheter des CD et des revues pour son ami U Tin Maug, à qui il avait décidé d'aller rendre visite.

Mya lui ouvrit la porte et François Martin lui tendit le sac contenant ses achats. Puis, il aperçut au fond de la pièce son ami assis face au mur, immobile.

— Ton père est malade ? demanda-t-il à Mya.

— Il n'a pas mangé depuis deux jours, répondit-elle, des éclairs de rage dans les yeux.

— Il est malade ? insista François Martin.

— Non, pauvre, dit-elle. Il n'a plus un sou.

— Suis-moi, murmura François Martin en l'entraînant sur le perron de la maison.

Après avoir refermé doucement la porte pour ne pas alerter son ami, il extirpa une liasse de billets de son portefeuille et les donna à Mya.

— Va acheter tout ce qui vous manque. Apporte quelque chose qui soit prêt à manger.

Elle partit sur-le-champ.

Son ami ne l'avait pas entendu arriver. François Martin, soudainement mal à l'aise de voir U Tin Maug si faible et si misérable, traversa la pièce en silence et posa une main sur son épaule. Surpris, U se retourna.

— Bonjour, mon très cher ami, lui dit François

sur un ton qui se voulait joyeux. Je suis venu te demander un petit service.

— Tout ce que je serai en mesure de faire… commença faiblement U Tin Maug.

— Est-ce que tu me vendrais quelques-uns de tes livres pour la bibliothèque d'un nouvel organisme d'aide internationale qui va s'installer ici ? Je ne me souviens plus du nom exact, mentit le père de Zack.

— Bien sûr, prends ce qu'il te faut.

François Martin prit son temps et choisit une vingtaine de livres qu'il paya aussitôt à son ami.

— Tu me donnes beaucoup trop, se défendit U Tin Maug.

— Mais non. Allez, prends tout.

Ses joues avaient repris un peu de couleur.

Mya revint avec un poulet au curry encore chaud et plusieurs sacs de provisions. Elle proposa une assiette à François Martin, qui refusa, et servit aussitôt son père.

— Mange lentement, papa, lui ordonna-t-elle.

Il s'efforçait de le faire, mais il était affamé et avait du mal à se contenir.

— J'ai peut-être une solution à tes problèmes, dit François Martin. Je vais te sortir de cette mauvaise passe.

Ça oui, il trouverait une solution. Laquelle ? Il n'en avait pas la moindre idée, mais il devait absolument en trouver une. Il observait U Tin Maug qui mettait de côté des boules de riz qu'il façonnait.

— Tu veux nourrir les oiseaux ? lui demanda-t-il, amusé.

— Non, c'est pour mon fils, Ko Than.

— Tu veux dire pour la quête ?

— Mais non, s'offusqua U Tin Maug, les jeunes novices ne quêtent pas !

Il prit le temps d'expliquer à François la signification de la *Pindapaata*.

— Mais ne sont-ils pas obligés d'accepter tous les dons qui leur sont offerts, que ce soit de l'argent ou de la nourriture ? demanda François.

— Pas nécessairement. Ils peuvent aussi refuser l'argent ou la nourriture si celui qui donne n'a pas un bon état d'esprit.

— Ah bon !

— Et crois-moi, François, c'est terrible qu'un moine refuse un don…

— Pourquoi donc ?

— Tu vois, les bouddhistes croient en la réincarnation, et les dons faits aux moines servent à accumuler des « mérites », des avantages si tu veux, pour accéder à une existence meilleure dans la prochaine vie. Enlever à quelqu'un la possibilité de donner aux moines, c'est lui enlever l'espoir d'accéder un jour à un niveau de vie supérieur.

Maintenant U Tin Maug riait.

— En 2007, pour punir les militaires qui avaient tué

et emprisonné les leurs, les moines refusèrent leurs dons. Quand ils voyaient les militaires arriver au monastère, ils se sauvaient par la porte d'en arrière. Alors les hommes d'armes ne pouvaient plus gagner une vie meilleure en nourrissant les moines.

Tous les trois rirent de bon cœur.

— D'ailleurs, reprit U Tin Maug, en birman on traduit le mot *manifestation* par *thapeikhmauk,* qui signifie littéralement « retourner les bols d'aumône ».

— Intéressant, commenta François, préoccupé par autre chose.

— Que veux-tu me demander ? murmura U, conscient que quelque chose tracassait son ami.

— Je voudrais un conseil.

— Bien sûr, lui répondit-il. Mya, tu veux nous laisser seuls ?

Mya salua le père de Zack et sortit. François Martin cherchait ses mots, sa main droite sur le front.

— Depuis plus de quinze ans, commença-t-il…

— Depuis la naissance de Zacharie ? précisa U pour l'aider.

— Oui. Je me suis embarqué avec ma femme dans une drôle de vie. On travaille comme des fous, on dépense comme des fous…

— « On est fous », résuma U Tin Maug.

Ils rirent de l'absurdité de la chose.

— Je n'ai jamais eu de véritable relation avec Zacharie. C'était… euh… ç'a toujours été une obligation. Il a grandi. Je l'ai élevé comme on dresse un petit chien. Fais le beau ! Viens ici ! Va par là ! Puis, il s'est brisé…

Il baissa la tête.

— Je commence juste à comprendre pourquoi notre relation est si tendue. Tu sais, je me suis comporté avec lui comme mon père se comportait avec moi, et maintenant je crains qu'il ne soit trop tard pour corriger tout ça.

— Il n'est jamais trop tard, répondit U Tin Maug en mettant sa main sur l'épaule de François. Un jour, Zacharie aura des enfants. Il ne doit pas leur faire porter le fardeau des drames familiaux. Ne t'inquiète pas, ton fils a déjà coupé la chaîne qui tend à reproduire les mêmes comportements de génération en génération. Maintenant, il se débarrasse de la souffrance qu'il portait en lui. Une partie provient sans doute de toi… et peut-être aussi de ton père.

— Oui, de son grand-père.

— Je suis convaincu que Zacharie connaît des moments extrêmement difficiles au monastère, et des moments extraordinaires également. Ton fils s'éveille à lui-même. Il se débarrasse de ce qui ne lui est pas utile.

Le père de Zacharie hocha la tête. U lui donnait de l'espoir.

— Que fais-tu, U, quand tu ne travailles pas ? lui demanda-t-il.

— Je marche en réfléchissant et je me réfugie souvent à la pagode. Là, je tente d'éliminer de mon cerveau tout ce que je rumine et qui finit par me faire souffrir, pour laisser la place aux pensées positives, celles qui m'apportent le bonheur.

— Tu médites, quoi ! résuma François Martin en riant.

— Oui ! Ici on se plaît à dire que la méditation est notre sport national !

19

Monastère bouddhiste, septième jour du noviciat.

Assis dans la grande salle pour l'enseignement du matin, Zack pensait à son père. Il commençait à découvrir l'être humain en lui et à comprendre que, parfois, on pouvait, sans en avoir pleinement conscience, faire des gestes qui causaient de la douleur aux autres.

Ce matin, au cours de la *Pindapaata,* son père avait baissé les yeux sur son passage. Zack avait ressenti quelque chose qui pouvait ressembler à de la tendresse. Cette impression lui était venue de l'attitude de son père : pendant quelques secondes, il s'était senti aimé.

Ce n'était peut-être qu'une illusion… Probablement. Ce constat l'angoissa de nouveau. Puis, il chassa ses idées noires pour préparer le texte qu'il voulait remettre au moine principal.

Lorsque l'heure du dîner arriva, il prit son élan, courut jusqu'au bureau du moine et frappa à la porte. Il fut aussitôt invité à entrer. Zack remit sa lettre au moine, qui entreprit de la lire à haute voix :

— Il y a quelques jours, j'ai découvert un jardin abandonné derrière le monastère. Il y pousse encore du romarin, de la coriandre, du basilic, de l'ail, de l'aneth et quelques autres fines herbes dont je ne connais pas le nom. Avec l'aide de Ko Than, j'ai désherbé et arrosé les plantes, qui commencent à reprendre vie. Est-ce que nous avons le droit de nous occuper de ce jardin ?

Le moine arrêta sa lecture pour répondre à cette première question.

— Mais bien sûr, Zack, avec plaisir. Que veux-tu faire de ces fines herbes ?

Zack avait son cahier en main, mais gardait son crayon dans les airs en se disant que, maintenant, ça devenait un peu plus difficile à expliquer. Il réfléchissait pour choisir les mots appropriés. Comment expliquer au moine que ça n'avait aucun sens de manger une nourriture si infecte alors que le monastère recevait de la nourriture fraîche et variée ?

Il écrivit enfin :

« On récolte de la nourriture de qualité, mais les cuisinières... »

Il hésitait.

Le moine s'était penché au-dessus du cahier et, après avoir lu le début de la phrase, éclata de rire :

— Ce n'est pas mentir de dire que ces pauvres femmes ne savent pas faire la cuisine. Ce jardin était entretenu par le dernier cuisinier qui a travaillé ici. Ce moine était un véritable cordon-bleu ! Malheureusement, il est parti servir dans un autre monastère, et nous n'avons trouvé personne pour prendre sa relève. Ces femmes sont pleines de bonne volonté, mais aucune d'entre elles n'est en mesure de cuisiner pour autant de personnes en même temps.

Zack écrivit dans son cahier :

« On reçoit plein de bonnes tomates, des piments, de la salade, du chou, des viandes fraîches et du riz cuit... »

Le moine poursuivit l'énumération :

— ... et des aubergines, des champignons, des fruits. Et les cuisinières fourrent tout dans le même chaudron, recouvrent la nourriture d'eau et la font bouillir pendant une heure. Le résultat est tout simplement répugnant !

Zack écarquilla les yeux, surpris que le moine puisse dire une telle chose.

— Je veux dire, rectifia le moine, que ça pourrait être meilleur.

Puis, il s'empressa de continuer à lire la lettre de Zack pour faire oublier ses commentaires quelque peu déplacés.

« Demain, j'aimerais prendre en charge le repas du midi », avait écrit le garçon.

Indécis, le moine examinait Zack.

— Tu devras préparer un repas pour cent soixante-quinze personnes. Tu peux faire ça ? demanda-t-il enfin en plissant les yeux.

« OUI ! » écrivit Zack en lettres majuscules dans son cahier.

Puis, il rédigea un court paragraphe de ce qui serait le premier curriculum vitae de sa vie :

« Tous les étés, mes parents m'envoyaient deux mois dans un camp de vacances. Ça leur permettait de travailler pendant tout l'été et de prendre leurs vacances pendant que j'étais à l'école. Je DÉTESTAIS les activités qu'on faisait au camp, alors je passais mon temps dans les cuisines. Au début, je regardais et je donnais un coup de main pour transporter des marchandises et nettoyer. Puis, j'ai commencé à couper les légumes. Plus tard, j'ai appris à faire les soupes, puis les sauces, les vinaigrettes et tout le reste. Après six années de camp, je pouvais me débrouiller pour cuisiner à peu près n'importe quoi. »

Le moine était impressionné.

— Zack, si tu peux mettre un peu d'ordre dans cette cuisine, fais-le. Nous ne sommes pas sur terre pour manger une telle bouillie…

Il s'interrompit en mettant une main devant sa bouche.

— Excuse-moi, je crois que je me suis laissé emporter, dit-il.

Ils éclatèrent de rire.

— Je vais parler aux cuisinières pour les prévenir que tu cuisineras demain. Elles t'assisteront. Et prends Ko Than avec toi, il te servira d'interprète.

Zack courut rejoindre les autres dans le réfectoire. Il jubilait. Demain, on allait manger SA cuisine. Il passa le reste de la journée à se préparer pour cette grande occasion.

Pendant les heures d'enseignement de l'après-midi, il écrivit les instructions que Ko Than donnerait le lendemain aux novices et aux cuisinières.

Cette nuit-là, Zack dormit peu, excité à la pensée de ce qu'il devrait accomplir le lendemain.

20

Monastère bouddhiste, huitième jour du noviciat.

Les deux amis s'étaient levés avant les autres pour passer en revue chaque détail de leur plan.

Après le rituel du lavage et de la prière, les moines novices étaient enfin prêts à partir pour la *Pindapaata*.

Avant de prendre la route, Ko Than expliqua aux novices la procédure à suivre lorsqu'ils reviendraient de leur tournée. Zack lui avait donné les instructions, qu'il traduisait en birman :

— Salut tout le monde ! Zack et moi, on va faire une expérience aujourd'hui afin de tenter d'améliorer la qualité de nos repas.

Il y eut des rires et des applaudissements.

— Pour y arriver, poursuivit Ko Than en parlant avec conviction et assurance, nous avons besoin de vous. Il faut d'abord réorganiser la cuisine. Voici comment vous pouvez nous aider : quand vous reviendrez au monastère, ne videz pas votre bol sur la table. Retirez-en un à un chaque article et mettez chaque chose à sa place. Il y aura un grand chaudron pour le riz, les légumes seront placés ensemble, les fruits et les viandes auront un coin réservé. On vous aidera.

Zack lut de l'espoir dans plusieurs regards.

Chésubé prit le premier la parole en riant :

— Si tu peux faire quelque chose pour améliorer la cuisine, Zack, je renonce à Mya ! J'en ai assez de cette répugnante mixture.

Ko Than traduisit ces paroles à Zack, qui éclata aussitôt de rire.

— Je pourrai vous aider ? demanda le plus petit des moines novices.

— Bien sûr, répondit Ko Than.

— Passez devant dans la file, suggéra un autre jeune moine. Comme ça, vous pourrez revenir les premiers à la cuisine.

C'est ainsi qu'en ce huitième jour de noviciat, Zack prit la tête de la procession.

François Martin, toujours posté au même endroit, avait vu la file des moines se former et venir vers lui. Il se disait que celui qui ouvrait la marche avait belle allure, la tête haute, le pas assuré dans sa robe rouge safran que gonflait le vent. Puis, il réalisa que ce jeune moine était son fils.

Zack vit, l'espace d'une seconde, de la fierté dans le regard de son père.

21

Monastère bouddhiste, neuvième jour du noviciat.

Zack se remémorait la merveilleuse journée qu'il avait vécue la veille. Son plan avait fonctionné à la perfection. Il avait cuisiné un excellent dîner pour cent soixante-quinze personnes.

Ko Than et lui étaient revenus les premiers de la *Pindapaata* et s'étaient rendus directement aux cuisines. Là, Ko Than avait pris le temps de saluer chaque femme et de s'enquérir de son nom. Puis, il s'était adressé à tout le groupe d'une voix forte et engageante. Il avait souligné leur générosité et leur ouverture d'esprit. Il comprenait que ça ne devait pas être facile d'accepter un nouveau venu. On lui avait enseigné qu'un chef dans une cuisine était comme un capitaine dans un bateau. Cette dernière remarque avait fait rire les femmes. Enfin, il les avait remerciées de leur permettre d'offrir leur maigre contribution au repas du midi.

Zack était impressionné de le voir s'exprimer avec autant de facilité. Il semblait être un excellent orateur. À son tour, il inclina la tête poliment en direction des cuisinières, puis il déposa sur le comptoir le panier de fines herbes qu'il avait préparé pour l'occasion.

Les femmes furent surprises de découvrir qu'un jeune moine novice d'à peu près quinze ans serait responsable d'un repas devant nourrir une centaine de novices et soixante-quinze moines plus âgés. Mais on leur avait expressément demandé de lui prêter main-forte.

Zack avait tout de suite fait couper grossièrement des oignons, de l'ail et quelques légumes qu'il avait fait sauter dans un immense chaudron avant d'y ajouter de l'eau et des fines herbes.

Pendant que le court-bouillon mijotait, il s'était attaqué à la suite.

Utilisant les précieux services d'interprète de Ko Than, il avait fait une démonstration afin que chaque femme sache de quelle manière il voulait que les légumes soient coupés. Ceux qui étaient plus longs à cuire devaient être taillés plus petits, et ceux qui cuisaient rapidement, plus gros.

Les jeunes moines novices étaient ensuite arrivés un à un, vidant leur bol suivant les instructions reçues. Ils avaient parfaitement compris le principe.

Quand le court-bouillon avait commencé à dégager une bonne odeur, Zack y avait ajouté, à mesure qu'ils arrivaient, les poulets et les pièces de viande. L'arôme qui se dégageait du chaudron n'avait pas tardé à parfumer l'air d'émanations appétissantes.

Les femmes travaillaient dans la bonne humeur.

À mesure que la viande avait été prête, Zack l'avait retirée du bouillon et quelqu'un s'était attaqué à désosser les morceaux. Le bouillon avait ensuite accueilli les légumes, qui avaient mijoté juste assez pour rester légèrement croustillants.

Enfin, le repas du midi fut prêt. Zack avait écrit un mot sur son papier que Ko Than avait immédiatement traduit :

— Merci à toutes. Félicitations, vous avez fait du bon travail. Il ne nous restera plus qu'à réchauffer le tout à onze heures.

Un moine était alors entré dans la cuisine sur la pointe des pieds et, tout en humant l'air avec délice, avait décrété que le petit-déjeuner était remis. Aujourd'hui, on inversait les repas et on dînait sur-le-champ.

Ce repas avait été mémorable.

Les vieux moines étaient venus les uns après les autres remercier Zack. Ko Than avait déclaré qu'il n'avait jamais si bien mangé de toute sa vie.

Le souvenir de cette journée rendait Zack heureux.

Étendu sur son tapis d'osier à regarder les étoiles à travers l'immense fenêtre au-dessus de lui, il se disait que les prochains jours seraient passionnants. Le moine principal avait annoncé à la ronde que, dorénavant, Zacharie Martin serait responsable des cuisines.

Des moines novices avaient offert de les aider, Ko

Than et lui, dans le jardin. Il pourrait ainsi consacrer plus de temps à l'élaboration de nouvelles recettes.

Le bilan de sa journée de la veille terminé, Zack se leva et s'attaqua joyeusement à ses activités matinales. Ce jour-là, il prit de nouveau la tête de la procession.

En passant sous l'arche de l'entrée, il aperçut François Martin qui venait vers lui. Il ralentit légèrement le pas. Son père déposa alors une petite boule de riz dans son bol. Aucun regard ne fut échangé entre eux. Mais le cœur de Zack battait à tout rompre.

De retour au monastère, il courut déposer la boule de riz aux pieds du Bouddha et il pleura.

22

Monastère bouddhiste, dixième jour du noviciat.

Ce jour-là, Zack ralentit à nouveau son allure quand il passa devant son père, afin que celui-ci puisse déposer dans son bol l'offrande qu'il tenait dans la paume de sa main. Alors, leurs regards se croisèrent.

« Comme il est grand et beau, ce fils », pensa le père.

« Comme il a l'air fragile, ce père », se dit le fils.

De retour au monastère, Zack courut une fois de plus jusqu'au Bouddha pour lui offrir la boule de riz reçue de son père.

Bien qu'il fût attendu impatiemment dans la cuisine, le garçon prit le temps d'allumer de l'encens. Il joignit les mains en levant les bâtons odorants vers Bouddha et le remercia pour toute cette joie que lui avait encore donnée son père.

Puis, il entra dans la cuisine, heureux et prêt à cuisiner cent soixante-quinze crêpes farcies à la mangue et à la noix de coco, qu'il comptait saupoudrer de sucre brun.

La veille, il avait constaté que les mangues tombaient des arbres dans la cour du monastère. Elles étaient mûres. Avec la permission du moine principal, il avait monté une armée de cuisiniers pour éplucher et trancher une cinquantaine de paniers de mangues qu'avaient joyeusement remplis les jeunes novices. Et ils avaient préparé une confiture assez sucrée pour qu'elle se conserve sans réfrigération.

Comme les noix de coco étaient communes dans ce pays, les cuisinières expérimentées s'étaient attaquées tout naturellement à une montagne de ce fruit coriace. Armées de machettes, elles avaient cassé les noix et les avaient vidées. Zack avait conservé précieusement le lait de coco pour un curry qu'il comptait cuisiner le lendemain midi.

Le garçon évoluait dans la cuisine comme un poisson dans l'eau. Le moine qui l'avait pris sous son aile l'avait bien remarqué et il s'en inquiétait. Est-ce que Zack se concentrait suffisamment sur l'enseignement bouddhique ? Il avait été à quelques reprises sur le point de lui en parler, mais le souvenir de ses créations culinaires des deux derniers jours l'en avait dissuadé.

Ce jour-là, après la *Pindapaata,* le père de Zack reprit ses promenades à travers la ville. Yangon ne ressemblait plus à la cité qu'il avait cru connaître. C'était toujours aussi sale, mais il y voyait maintenant des gens simples et heureux de vivre tout doucement leur vie, ensemble, serrés les uns sur les autres.

Une femme au visage peint en blanc le salua :

— *Are you happy*[1] ?

— *Yes, thank you*[2] ! *Mingalaba*[3], ajouta-t-il en birman.

Il s'assit dans une petite maison de thé ouverte sur la rue et mangea un beignet et une pâtisserie tout en regardant un vieillard s'entretenir avec son petit-fils de dix ou onze ans. Le garçon racontait plein de choses à son grandpère en gesticulant. Le vieil homme riait. D'autres gens se joignaient à eux et ils continuaient leurs discussions animées.

Le propriétaire de la maison de thé travaillait avec sa fille. Dans ce pays, les vieux et les jeunes vivaient ensemble. Cette société lui plaisait. Tout paraissait si simple, ici.

François Martin continua sa route et entra dans une agence de voyages.

— Je désire changer ces billets d'avion pour une date ultérieure, dit-il au monsieur assez âgé derrière le bureau.

— C'est un jour de *Pyatthada-ne* aujourd'hui.

---

1. « Êtes-vous heureux ? »
2. « Oui, merci. »
3. « Bonjour. »

— Je m'excuse, mais qu'est-ce que ça veut dire ? demanda François Martin, amusé.

— C'est un « jour sans », précisa le vieil homme.

Déconcerté, le père de Zack insista.

— Et ces billets ?

— C'est un jour de *Pyatthada-ne,* pas une bonne journée, expliqua l'homme.

— Et qui a décidé ça ?

— Les planètes, répondit l'homme, surpris que son interlocuteur ne connaisse pas lui-même la réponse.

Voyant que cet Occidental avait du mal à digérer l'information, il lui conseilla :

— Le vendredi et le jeudi sont des bons jours. Revenez.

Le père de Zack était sorti du commerce en riant. Un homme qui le dépassait l'interpella :

— *Are you happy ?*

François Martin s'amusait de cette drôle de façon qu'avaient les gens de se saluer.

Oh oui, il allait bien. Il y avait bien longtemps qu'il ne s'était pas si bien porté. Il avait un fils de quinze ans qui était à la recherche de lui-même. Il avait mis le compteur de sa vie à zéro pour se regarder et se poser les questions que lui aussi aurait dû se poser.

« Qu'est ce que je fais maintenant ? Est-ce bien ce que je devrais faire ?

« Je suis un père. Suis-je un bon père ?

« J'ai des amis. Peuvent-ils compter sur moi autant que je peux compter sur eux ?

« Je ne savais pas que l'amitié était comme les pierres précieuses. J'ai quarante-trois ans et je commence à peine à comprendre quelles sont les choses les plus importantes dans la vie. »

— *Are you happy ?*

« Oui, je suis heureux. Mon fils me montre le chemin.

« C'est mon Bouddha.

« Mais il ne le sait pas encore. »

23

Monastère bouddhiste, du onzième au seizième jour du noviciat.

Zack se réveilla avant tous les autres. Il aimait profiter de ce moment de solitude pour rêver à Mya tout en regardant les étoiles à travers la fenêtre.

Ko Than et lui s'étaient bien intégrés à la vie du monastère. Ils avaient appris à apprivoiser leur faim en buvant beaucoup de jus de fruits et d'eau au cours de l'après-midi pour remplir leur estomac. Les garçons acceptaient ce désagrément en s'absorbant dans leurs tâches et dans leurs lectures.

Zack repensait parfois aux heures passées chez lui, devant son ordinateur, et il se disait qu'il avait vécu une partie de son enfance dans une réalité virtuelle. Ici, il n'y avait plus de mémoire numérique. C'était comme s'il avait cliqué sur la touche « réinitialiser Zacharie Martin ». Ces derniers jours, il avait expérimenté des sensations qu'il n'avait jamais connues de façon si intense : la faim, le froid et l'inconfort.

Mais ces ennuis n'étaient rien s'il les comparait à la solitude et à l'abandon auxquels il avait été confronté à Montréal.

Le quinzième jour du noviciat, Zack décida de se rendre au bureau du moine. Il lui remit un texte dans lequel il mentionnait les trois phrases qu'il s'attardait à essayer de comprendre. Il expliquait aussi comment il se percevait maintenant.

« Auparavant, avait-il écrit, je souffrais du peu d'intérêt de mes parents pour moi, et j'étais probablement une personne de peu d'intérêt. Je pensais à la fierté qu'ils ressentiraient si je réussissais bien et je n'étais que cette fierté. Et ça m'embêtait.

« Je pensais que ma mère ne m'aimait pas et j'étais alors un fils mal-aimé. Maintenant que je comprends cela, qui suis-je exactement ? »

Le moine sourit.

— Tu trouveras la réponse, ne t'inquiète pas.

Voyant Zack hésiter, il lui demanda :

— Connais-tu le poème d'Aragon qui s'intitule *Prologue* ?

Zack fit non de la tête. Alors le moine commença à le réciter :

La souffrance enfante les songes
Comme une ruche ses abeilles
L'homme crie où son fer le ronge

157

Et sa plaie engendre un soleil
Plus beau que les anciens mensonges[1]

Le silence flotta un moment dans la pièce.

— Aragon appelle « poésie » ces ténèbres aux yeux grands ouverts... ajouta le moine dans un long murmure.

Les mots résonnaient encore dans la tête de Zack lorsque le moine l'interpella de nouveau :

— Ces derniers jours, je te croyais plus concentré sur ta cuisine que sur ta formation bouddhique. Je m'étais bien trompé. Tu as amorcé une solide réflexion. Continue dans la même voie. Tu as choisi trois phrases très pertinentes. Ne cherche pas plus loin. Retourne-les dans ta mémoire, dans tes souvenirs, et fixe-les dans ton présent.

Zack regagna la salle d'enseignement et se concentra de nouveau sur ce qui se passait en lui. Il lui semblait qu'il avait toujours vécu sa vie comme un personnage dans une pièce de théâtre, enfilant costume par-dessus costume. Maintenant, il s'observait. Il était devenu le spectateur de sa propre vie. Comme s'il se tenait en arrière de ses pensées et qu'il les regardait se déployer devant lui.

---

1. Extrait du poème *Prologue* de Louis Aragon (1897-1982), poète, romancier et journaliste français.

Chaque matin, François Martin déposait sa boule de riz dans le bol d'aumône de son fils et il lui souriait. Désormais, il ne vivait plus que pour ce moment. Il songeait aux comportements à adopter pour partager le quotidien de manière agréable avec son fils. Il n'était plus pressé de quitter le Myanmar. Au contraire, une nouvelle vie semblait s'amorcer et une réflexion s'imposait pour trouver comment la vivre en accord avec les sentiments qu'il éprouvait pour Zack.

Puis, ses pensées se tournaient vers Mya, Ko Than et son ami U Tin Maug. Il avait la certitude qu'une solution s'offrirait à lui très bientôt pour régler leurs problèmes. Il avait appris à connaître U Tin Maug d'une autre façon. C'était un père comme lui, mais pauvre, sans ressources et en danger. Pourtant, cet homme n'était ni sa pauvreté ni son désespoir. Chaque jour, U Tin Maug méditait pour libérer son esprit et il favorisait avant tout les moments avec ses enfants.

Au contraire, François Martin avait été un père en colère contre son propre père et contre son fils. Il n'y avait eu aucune ouverture à la tendresse et à l'amour dans sa façon d'être. C'en était assez. Maintenant, la vie lui souriait. Sa rage était tombée, et il avait confiance en l'avenir.

Pour le moment, son plus grand désir était de voir chaque journée se terminer pour qu'une autre la remplace et qu'il puisse enfin se rendre aux abords du monastère et attendre l'arrivée de Zacharie. Pour passer le temps, il quittait chaque jour la ville en *trishaw*. C'était une sorte de bicyclette qui pouvait transporter sur le côté deux passagers assis dos à dos. Il aimait bien se déplacer dans cet étrange cyclo-pousse, profitant de la lenteur du voyage pour observer la vie dans la campagne birmane.

Le temps semblait y être suspendu. Les paysans cultivaient la terre à l'aide de charrues en bois tirées par des bœufs. Parfois, des enfants couraient derrière des chèvres. Une poule et ses poussins traversaient la route. Des petites filles de six ou sept ans promenaient de gigantesques buffles noirs en laisse.

Puis, François Martin marchait pendant des heures, contemplant les fleurs, les arbres, observant le rythme des herbes hautes se courbant dans le vent, admirant les montagnes et le ciel. Il s'attardait à regarder les femmes qui travaillaient dans les rizières avec leurs grands chapeaux coniques en chantant à tue-tête de vieux airs birmans.

Les rizières ressemblaient à d'immenses casse-tête, chaque parcelle colorée d'un ton de vert du plus pâle au plus foncé.

François Martin était tombé sous le charme paisible du mode de vie birman et avait adopté son rythme lent. Le temps semblait constituer ici la plus grande richesse, et les habitants du pays en profitaient pleinement. Il avait tout d'un coup pris conscience que ces gens étaient exemplaires. Personne ne criait, personne ne se pressait. Partout régnait une tranquillité singulière.

Il avait remarqué qu'on déposait à l'entrée des maisons des pots d'eau fraîche. Quelques jours auparavant, un homme lui avait tendu une louche en lui disant en anglais :

— Cette eau est pour les passants assoiffés. Vous pouvez boire : elle a été bouillie.

Il avait continué sa route et croisé quelques mètres plus loin une Birmane qui lui souriait. Elle avait accroché dans ses cheveux une fleur blanche. Toujours, enfants et adultes prenaient le temps de le saluer, et chaque fois qu'il s'arrêtait dans une échoppe pour acheter quelque chose on lui offrait un bonbon. Pourtant, ces gens étaient pauvres.

« J'étais aveugle, se disait François Martin, je ne voyais pas ce qu'il y avait de si beau dans ce pays. J'ai vécu toute ma vie les yeux fermés. »

Il repensait à cette boule de riz rituelle qu'il offrait à son fils.

Ils avaient trouvé quelque chose qui les rapprochait, et cette chose tenait dans le creux d'une main.

En marchant dans la campagne, le père regardait souvent sa main et il pleurait.

24

Monastère bouddhiste, dix-septième jour du noviciat.

Zack était au monastère depuis plus de deux semaines lorsque François Martin trouva finalement la solution aux problèmes de son ami U Tin Maug. Elle lui fut révélée par sa femme, Mathilde.

Ce jour-là, après avoir remis son offrande à son fils et échangé avec lui un regard qui racontait plus que tout ce qu'ils s'étaient dit en quinze ans, il se rendit à l'hôtel quatre étoiles qu'ils avaient occupé en arrivant au Myanmar. Il voulait y récupérer le bagage de Zacharie.

Le voyant arriver, le concierge de l'hôtel courut à sa rencontre.

— Votre femme a téléphoné à plusieurs reprises, monsieur Martin. Nous lui avons dit que vous ne logiez plus ici.

François Martin ramassa le sac de Zacharie et se rendit dans un café Internet d'où il téléphona à Mathilde en utilisant Skype. Voyant qu'il n'obtenait pas de réponse, il composa le numéro de son cellulaire. Elle répondit finalement à la cinquième sonnerie.

— Oh, François ! s'exclama-t-elle sur un ton chantant.

Il entendit en arrière-fond une voix masculine et s'enquit pour la forme :

— Où es-tu, Mathilde ?

— Oh, fit-elle, mal à l'aise.

Elle hésita un instant, puis déclara presque en chuchotant :

— Je suis chez un associé. Il est triste. Il a divorcé récemment, et je…

Ne sachant pas comment expliquer sa présence en ces lieux, elle se tut tout d'un coup.

— Oh, chéri, je suis désolée, reprit-elle.

— Non, non, Mathilde, ne t'excuse pas, l'aida François Martin. Ça n'allait plus du tout entre nous depuis très longtemps.

— Je suis contente que tu comprennes, dit-elle, soulagée. Tu es revenu ?

— Non, j'ai encore à faire ici.

— J'ai plein de choses à te dire. D'abord, une bonne nouvelle…

— J'écoute, déclara François Martin, curieux.

— Zacharie a été accepté dans la ligue de hockey de l'école. Le directeur a téléphoné pour s'informer de la date de son retour en classe.

— Réponds-lui que Zacharie ne jouera pas au hockey.

— Pourquoi ? s'étonna Mathilde.

— Parce qu'il déteste le hockey.

— Ah bon ! s'exclama Mathilde, surprise que l'opinion de Zacharie soit tout à coup importante.

— Je ne sais pas encore quand nous rentrerons, lâcha rapidement François Martin en espérant que sa femme ne lui demande pas d'explication.

— Si vous avez besoin de quelque chose, je peux te le faire parvenir, offrit-elle plutôt. Tu sais les voisins retraités, Daniel et Ruth Schlesinger ?

— Oui, répondit le père de Zack.

— Ils partent bientôt pour le Myanmar. Ils y séjourneront deux semaines. Ensuite, ils vont visiter le Vietnam.

— D'accord. Donne-leur de l'argent américain pour moi. En coupures de cent dollars. Beaucoup.

— Mille, cinq mille, dix mille ? dit-elle en riant.

— Dix.

— Comme tu veux. J'ai autre chose à te dire. Tout est écrit sur une liste. Attends !

Elle avait déposé le téléphone et il l'entendait fouiller dans son sac à main. En arrière-fond, l'associé éploré chantait.

François Martin était soulagé et heureux que Mathilde ait trouvé quelqu'un avec qui elle était bien.

— La voilà. Je commence. Madame Monarque a

légué tous ses biens, maison, argent, bijoux, tableaux, à Zacharie. Le notaire n'a pas voulu me donner de détails. Il attend le retour de Zacharie.

— Je le lui dirai.

— Est-ce qu'il mange bien ? demanda soudainement Mathilde en se rappelant tout à coup qu'elle avait un fils.

« C'est fou comme une liste c'est pratique pour se souvenir », se dit François Martin.

— Il se lave les cheveux ? reprit-elle. Tu dois le lui rappeler, sinon il oublie. Et assure-toi qu'il porte toujours ses semelles orthopédiques dans ses souliers.

« Ton fils a perdu au moins six kilos, il n'a plus un cheveu sur la tête et il se promène pieds nus dans les rues de Yangon… » avait envie de lui répondre François Martin.

— Il y a autre chose, Mathilde ? demanda-t-il plutôt.

— Oui, son parrain lui souhaite bonne fête… et moi aussi.

C'est là que tout à coup François Martin eut l'idée.

À cause du parrain !

Il avait jonglé avec le nom pour finalement trouver la solution. Ce mot lui avait rappelé qu'on peut parrainer quelqu'un pour le faire entrer au Canada. Il n'aurait jamais pensé à cette solution auparavant. Probablement parce qu'elle impliquait qu'il soit responsable des personnes parrainées.

Mais ses priorités avaient changé. Il vendrait la voiture, sa part du condo à Mathilde… L'argent, il le trouverait.

Le problème serait de faire sortir la famille de U Tin Maug du Myanmar. On ne leur donnerait certainement pas les papiers nécessaires pour quitter le pays si facilement. En plus, si U Tin Maug voyageait avec ses enfants, on pourrait soupçonner qu'il tentait de se sauver.

« À moins que les enfants partent avant », pensait maintenant François Martin, excité d'avoir peut-être trouvé une solution. On pourrait les faire transiter par un pays voisin pour ne pas attirer l'attention des militaires et obtenir les permis de sortie. Éventuellement, ils pourraient tous transiter par un pays voisin. Il partirait avec U Tin Maug. Mais il fallait un prétexte qui justifierait qu'il quitte le pays. On trouverait bien quelque chose…

Ensuite, il emmènerait son ami et sa famille à Montréal et il les aiderait à obtenir leur citoyenneté canadienne.

Mais pour le moment, il fallait préparer la sortie des enfants. Puis, organiser un voyage d'affaires pour U Tin Maug.

« Pourquoi pas le Vietnam ? » se dit-il en repensant aux propos de Mathilde au sujet de leurs voisins. Les détails de l'opération se dessinaient lentement dans sa tête.

25

Monastère bouddhiste, dix-huitième jour du noviciat.

Le monastère était toujours plongé dans la pénombre lorsque François Martin se présenta au domicile de U Tin Maug.

— Mon cher ami, annonça-t-il joyeusement, j'ai trouvé une solution à tes problèmes.

— *Amalé ! Amalé*[1] ! s'exclama U Tin Maug en entraînant François Martin à l'intérieur de la maison.

— Je propose que Mya, Ko Than et toi veniez vivre avec nous à Montréal, déclara François Martin en s'assoyant à la table.

Surpris, U écarquilla les yeux et resta un moment la bouche ouverte. Puis, son regard s'assombrit.

— J'ai songé à la possibilité d'émigrer au Canada avec les enfants. Tu le sais bien… C'est pour cette raison que je leur ai appris le français dès leur plus jeune âge. J'ai essayé, mais ma demande d'immigration a été refusée.

---

1. « Oh mon Dieu ! Oh mon Dieu ! »

François Martin le rassura.

— Cette fois-ci, ça va marcher. Nous allons d'abord obtenir du Canada un visa de résidence temporaire pour toi et ta famille. Lorsque vous serez au Canada, nous ferons une demande de résidence permanente. Par la suite, je m'occuperai de réunir quelques personnes pour déposer auprès du gouvernement du Québec une demande de parrainage collectif.

— Ce serait merveilleux ! s'exclama U Tin Maug. Mais je n'ai plus mon passeport. Les militaires me l'ont retiré de peur que je parte à l'étranger et que je révèle au monde entier ce qu'ils font subir aux citoyens de ce pays.

— Je m'en doutais, répondit aussitôt François Martin. Alors, nous devrons récupérer ton passeport. Nous quitterons Yangon pour un jour ou deux afin de nous rendre à Naypyidaw, la capitale. Les édifices du gouvernement sont tous concentrés dans cette ville, n'est-ce pas ?

— Oui, acquiesça U.

— Nous allons y récupérer ton passeport. Par la même occasion, nous informerons officiellement les dirigeants de ton intention de te rendre avec moi en Thaïlande dans une quinzaine de jours.

— Et les enfants ?

— Les militaires ne doivent pas soupçonner que vous quittez définitivement le pays. Alors, il vaut mieux que vous ne partiez pas ensemble. Nous allons envoyer les enfants au Vietnam avant notre départ pour la Thaïlande.

— Mais, ils sont trop jeunes pour voyager seuls, protesta U Tin Maug.

— Si tout se passe comme prévu, dans dix jours un moine du monastère les accompagnera jusqu'au Vietnam. Là, un couple de mes amis les prendra en charge. Nous les rejoindrons aussitôt qu'on le pourra et je ferai les démarches auprès de l'ambassade du Canada à Hanoï ou au consulat à Hô Chi Minh-Ville.

U Tin Maug réfléchit un moment.

— D'accord pour les enfants. Mais pourquoi avoir choisi la Thaïlande pour nous deux ?

— Le Vietnam et la Thaïlande font partie de l'ANASE...

— Oui, tu as raison, l'interrompit son ami. Le Myanmar est membre de l'Association des nations de l'Asie du Sud-Est et il est ainsi plus facile de circuler d'un pays à l'autre.

— C'est exact, renchérit le père de Zack.

— Et quel serait le motif de mon séjour en Thaïlande ?

François Martin sortit de sa poche une feuille pliée qu'il tendit à son ami.

— Regarde ce que j'ai imprimé hier soir. J'ai pris ça sur Internet.

U Tin Maug saisit la feuille, la déplia et lut à haute voix :

— Congrès annuel. Les nouvelles technologies.

Lieu : Chiang Mai, Thaïlande. Sujet : Les derniers développements en matière d'énergies renouvelables. Des chercheurs du monde entier viendront faire le point sur les plus récentes recherches visant la production d'énergie grâce au mouvement des marées.

— Tu imagines, U, le Myanmar a presque deux mille kilomètres de côtes sur la mer d'Andaman. Si le pays pouvait transformer en énergie le mouvement des marées…

— La ville de Yangon aurait de l'électricité le soir ! poursuivit en riant U Tin Maug.

Excité, François Martin continua :

— Tu es ingénieur spécialisé en électricité, tout comme moi. Il est normal que nous partions ensemble.

— Oui, ça se tient, admit U. Mais l'énergie marémotrice… Ce n'est pas quelque chose de nouveau. Depuis longtemps on tente d'utiliser le potentiel hydroélectrique des marées. Si je me souviens bien, dès le XIIᵉ siècle on construisait des moulins à marée en Grande-Bretagne, en France et en Espagne. Vous en avez eu un au Canada, en Nouvelle-Écosse, autour de 1607.

— Tu es plus au courant que moi ! s'exclama François.

— J'ai déjà fait une recherche sur la question. Le problème, c'est qu'il faut que la différence entre la marée haute et la marée basse soit importante. Pour être exploitables, les courants doivent dépasser la vitesse de trois nœuds sur des durées assez longues.

— Écoute-moi bien, U : l'idée derrière la participation à ce congrès est de sortir du pays. Que le projet soit réalisable ou pas, on s'en fiche. Il faut juste que le gouvernement y croie. Et puis, il y a peut-être eu des avancées notables dans la recherche ces dernières années. Le prix du pétrole est tellement élevé… On rêve tous de voitures électriques… Ce serait une source d'énergie propre. Enfin !

— Tu as raison. Il y a peut-être eu des avancées, et… l'important est de sortir de ce pays.

— Nous devons dès aujourd'hui préparer un document pour attester que tu te rends en Thaïlande pour une formation professionnelle. Ce qu'il faut, c'est que les autorités y voient une source de revenus potentiels. Si on les convainc que ta participation au congrès peut leur rapporter quelque chose, ils te laisseront partir.

— Ce ne sera pas difficile, commença U. Si on implantait ici une nouvelle industrie produisant de l'électricité, on créerait de la richesse. L'État pourrait vendre l'électricité. Ça représente beaucoup d'argent. Il y a plein d'hôtels, de restaurants, de commerces, de particuliers qui ne demanderaient pas mieux que de payer pour avoir de l'électricité.

— C'est ça qu'il faut écrire, U. Nous devons établir que tu es indispensable puisque ta spécialité est précisément l'électricité et que, de plus, tu parles le français.

François Martin lui tendit une autre feuille.

— Regarde, les conférenciers les plus importants viennent de pays francophones. Tu es difficilement remplaçable.

U Tin Maug hocha tristement la tête.

— Mais tout ça, c'est de la frime. Nous irons en Thaïlande, et je n'assisterai même pas au congrès.

— Exact, nous prendrons tout de suite un autre vol pour le Cambodge. Si nous ne sommes pas suivis, nous continuerons notre route vers le Vietnam afin d'y retrouver les enfants. Là, nous obtiendrons les documents nécessaires qui vous permettront d'aller au Canada.

— C'est triste. Ce projet pourrait aider mon pays…

— Tu n'as pas le choix, U. Les militaires te permettront d'aller en Thaïlande pour obtenir l'information, mais après tu seras toujours sans travail et menacé de rejoindre les prisonniers politiques. Pour le moment, tu dois te réfugier au Canada.

— Tu as raison. Pour Mya et Ko Than, je dois partir à Montréal. Si un jour je peux revenir, je le ferai.

— Maintenant, il faut se mettre au travail et préparer un document convaincant, dit François Martin, heureux de voir que son ami approuvait son plan. Ce soir, nous pouvons partir pour Naypyidaw. Il y a un autobus de nuit qui quitte Yangon à dix-huit heures. Le trajet jusqu'à la capitale dure environ dix heures. Demain matin, nous serons en mesure de présenter le projet et de récupérer ton passeport. Tu as ceux de Mya et de Ko Than ?

— Oui, répondit U, en fouillant dans un tiroir. Je te les donne. Tu devrais profiter de ce séjour dans la capitale pour demander une extension de vos visas pour le Myanmar.

— Tu as raison, approuva François Martin.

— Et n'oublie pas le passeport de Zacharie, ajouta U.

— Oui, bien sûr, répondit son ami en regardant par la fenêtre les premières lueurs de l'aube apparaître. Dis-moi, U, est-ce que tu crois que Mya pourrait me remplacer au moment de la *Pindapaata* ?

— Qu'est-ce que tu en penses ? répondit U Tin Maug avec un clin d'œil et un sourire qui en disaient long.

— Ah oui ? s'exclama François Martin, surpris. Mya et Zacharie ?

— Tu es aveugle ou quoi ?

— J'étais... aveugle, en effet, admit-il.

U Tin Maug se leva et alla réveiller Mya. Elle s'habilla rapidement et vint saluer le père de Zack.

Ce dernier lui tendit alors un papier enveloppé dans une pellicule plastique.

— S'il te plaît, Mya, donne ce message à Ko Than et transmets à Zack mes souhaits de bon anniversaire. Ton père et moi devons travailler pour vous faire quitter ce pays le plus vite possible.

Mya prit le message et lut sur le pli le nom du moine responsable des novices.

Le cœur battant, elle écrivit rapidement une note à

l'intention de Zack, puis elle sortit le chaudron de riz cuit et prépara soigneusement deux portions qu'elle déposa dans de petites assiettes puis dans une boîte.

Après avoir embrassé son père, elle sortit précipitamment et courut jusqu'au monastère.

Le cœur de Zack se serra. Pour la première fois, son père ne s'était pas présenté à la *Pindapaata*. Peut-être était-il malade ? ou simplement en retard ? Il ralentit le pas et tous les novices derrière lui firent de même, car il était de nouveau le premier de la file.

Puis, il l'aperçut : non pas son père, mais Mya, qui arrivait les bras chargés d'une grande boîte de carton. Elle était toujours vêtue de sa robe de nonne rose, et son sourire éclatait au milieu de sa belle tête rasée. Arrivée à la hauteur de Zack, elle posa la boîte sur le sol et s'adressa à Ko Than :

— Viens ici, petit frère.

Il s'avança et Mya sortit de la boîte une assiette sur laquelle était posée une bonne quantité de riz façonné en forme d'étoile.

Ko Than tendit son bol d'aumône et reçut l'offrande. Puis, il fit un clin d'œil à sa sœur, tourna les talons et rentra au monastère. Les autres novices s'étaient regroupés pour observer Mya. Zack leur fit signe de les dépasser. Les quatre-vingt-dix-huit jeunes moines obéirent et, par un pur hasard, chacun d'entre eux avait un chat dans la gorge et se sentait obligé de toussoter en dépassant le couple.

Zack s'en fichait. Mya était là tout près de lui.

Le vent lui apportait son odeur. Elle sentait aussi la sienne.

À peine trois pas les séparaient.

Zack rêvait de tenir sa tête dans ses mains, d'embrasser son front, ses paupières, ses joues, son menton. Mya fermait les yeux. Elle ressentait chacune des caresses de Zack, même si trois pas les séparaient.

Puis, elle ouvrit les yeux et déposa en pensée un baiser sur les lèvres de Zack, sans qu'un seul de ses muscles ait bougé. Zack perçut une légère pression sur sa bouche, juste assez pour deviner la douceur de chaque pli des lèvres de Mya.

Pourtant, trois pas les séparaient.

Tout le corps de Zack explosait de mille sensations que Mya accueillait dans chaque pore de sa peau. Ils unirent leurs regards, entrant dans l'esprit l'un de l'autre. Zack aimait les silences de Mya. Elle appréciait la paix qui émanait maintenant de lui.

Trois pas les séparaient. Mais en réalité, absolument rien ne les dissociait l'un de l'autre.

— Je t'aime, Mya, dit Zack.

C'était la première fois qu'elle entendait sa voix. Zack venait de prononcer ses premiers mots depuis vingt-neuf jours.

Mya se pencha et sortit de la boîte une assiette recouverte d'un bout de tissu orange. Elle la déposa dans le bol d'aumône que Zack tenait toujours dans ses mains.

Puis, Mya sourit et disparut en courant.

Zack retourna immédiatement au monastère et se rendit dans le jardin de fines herbes. Là, il s'assit par terre, déposa le bol devant lui et sortit l'assiette.

En soulevant le tissu, il découvrit du riz façonné en forme de cœur. Il sourit, heureux comme il ne l'avait jamais été de se savoir aimé et compris par une femme aussi belle que le lever du jour. Que devait-il faire de ce présent ? Le manger ? Non. Il se contraignait à suivre les règles d'abstinence du monastère, sauf lorsqu'il devait goûter les mets qu'il cuisinait.

Peut-être pouvait-il le cacher quelque part dans la cour ?

Il regarda autour de lui. Après un moment, il prit conscience qu'il serait absurde de gaspiller de la nourriture dans un pays si pauvre. Mya lui avait donné le riz pour la cuisine, et elle savait qu'il devrait briser le cœur avant de l'y emporter. Alors, il entreprit d'enfoncer son index et son majeur de la main droite au centre de la forme. Il s'arrêta en rencontrant quelque chose qui n'était pas du riz. C'était un message enroulé dans une pellicule plastique.

Il l'ouvrit avec soin et le lut : « Bon anniversaire, Zack. Ton père m'a demandé de te transmettre aussi ses vœux.

Il a trouvé une solution à nos problèmes et y travaille avec mon père. Je t'aime, Mya. »

Elle avait ajouté tout en bas : « Sois discret. »

Zack déchira le message en morceaux aussi petits que les grains de riz et il les enterra dans le jardin.

En rentrant au monastère, Ko Than se précipita vers lui et inspecta aussitôt l'intérieur de son bol.

— Y avait-il un message dans ton riz ? chuchota-t-il.

— Oui, Ko Than.

— Tu parles ! s'écria le garçon, excité. Allez, Zack, dis encore quelque chose…

— Mya m'a écrit que mon père a trouvé une solution à vos problèmes, lui dit Zack en baissant la voix.

— Fantastique ! dit Ko Than. Mais, Zack, personne ne doit le savoir. Il y a plein d'espions au Myanmar.

— Et toi, demanda Zack, tu avais un message ?

— Oui, mais il était pour le moine qui t'a pris en charge.

— Tu l'as lu ? s'informa Zack.

— Non, répondit Ko Than, déçu. Son nom était écrit sur le pli.

Tous les moines novices étaient revenus de la *Pindapaata*. Il était temps de commencer les préparatifs du repas.

En entrant dans la cuisine, Zack fut heureux de constater que les cuisinières avaient déjà préparé le court-bouillon. Ça lui donna une idée.

Après le déjeuner, il se rendit au bureau du moine, qui le reçut chaleureusement.

— J'ai eu une idée, ce matin, commença Zack sans aucune formalité.

Le moine releva le sourcil droit et le maintint en place tant il était surpris. « Tiens, tiens, pensa-t-il, ce garçon parle, maintenant. » Malgré son étonnement, il le laissa continuer sans l'interrompre.

— Si vous me donnez un cahier neuf, je pourrai dicter mes recettes à Ko Than. Il les traduira en birman. Ainsi, après mon départ du monastère, les cuisinières pourront continuer à faire de la cuisine. De la vraie.

Ils rirent de bon cœur.

— Et pour le jardin de fines herbes, continua Zack, il faudrait assurer une relève pour l'entretenir.

— C'est très bien, Zack, que tu penses à ceux qui resteront au monastère après ton départ. Nous ne t'oublierons jamais et tu seras toujours le bienvenu chez nous.

— Merci, dit Zack. J'ai l'intention de revenir ici quand je serai adulte, comme *hpongyi*. J'aimerais devenir moine à part entière pendant un ou deux mois. Mais je ne suis pas prêt à partir tout de suite. Aujourd'hui, c'est seulement ma dix-huitième journée de noviciat.

Le moine toussota.

— Non, toi et Ko Than ne partirez pas aujourd'hui, ni demain. Mais vous devrez quitter le monastère avant les autres. Personne ne doit être au courant.

Le moine avait articulé lentement cette dernière phrase.

— Ton père veut te faire sortir du pays avec Mya et Ko Than. Je vous accompagnerai tous les trois jusqu'au Vietnam. Là, des amis de ta famille vous prendront en charge. Officiellement, nous partons au Vietnam rencontrer d'autres moines et d'autres nonnes francophones pour assister à un séminaire international sur le bouddhisme à Hanoï.

— On parle le français au Vietnam ? s'étonna Zack.

— Oui, encore un peu. À la fin du XIXe siècle, les Français ont créé l'Union d'Indochine. Elle regroupait le Laos, le Cambodge et le Vietnam. Le français était alors répandu dans cette partie de l'Asie. C'est pour cette raison que quelques religieux continuent d'enseigner la langue française aux novices.

— Je ne savais pas, murmura le garçon.

— Nous partirons vêtus de nos habits de moines, et Mya portera la robe des nonnes. Un monastère de Paris doit m'envoyer un fax confirmant la présence de représentants français. Avec ça, j'obtiendrai les documents nous permettant de partir.

— Wow ! s'exclama Zack. Et c'est quand, le départ ?

— Pas avant huit à dix jours. Je dois d'abord établir les contacts et obtenir tous les papiers nécessaires.

— Je n'aurais jamais cru mon père capable de faire ça, dit Zack, songeur.

— L'être humain change sans arrêt, Zack, pour le meilleur ou pour le pire.

— Je peux en parler à Ko Than ?

— Oui, mais à personne d'autre. On a de bons garçons ici, mais on ne sait jamais. Leurs parents, leurs amis, leurs voisins peuvent transmettre des renseignements sans le vouloir. C'est aussi de cette façon qu'on obtient de bons emplois dans le gouvernement. Sois discret en tout temps. Nous partirons avant le lever du jour et un taxi nous conduira à l'aéroport.

Zack sortit, étourdi par tout ce qu'il venait d'entendre.

Il avait en main un cahier dans lequel Ko Than transcrirait « Les recettes du monastère, par Zack Martin. »

Et dans quelques jours, grâce à son père, il partirait pour le Vietnam avec son meilleur ami et la femme qu'il aimait.

Toute sa vie il se souviendrait de la première journée de ses seize ans.

26

Dix jours plus tard.

Le vingt-huitième jour de leur noviciat, Zack et Ko Than furent réveillés doucement par le moine. Il gardait son index posé sur la lèvre pour leur intimer le silence. Les deux garçons se levèrent et, sans prendre le temps de se laver, sortirent sur la pointe des pieds.

Posté aux abords du monastère, François Martin attendait son fils. Il avait du mal à se contenir tellement le bonheur le submergeait. Ces minutes représentaient les plus beaux moments de son existence. Comme si sa femme accouchait de nouveau et qu'il était maintenant prêt à accueillir la venue de l'enfant.

Il fixait la grille du monastère qui luisait sous la clarté de la lune. Au loin, des chiens aboyaient. Un coq chantait. Les feuilles des arbres bruissaient dans le vent. Parfois, un nuage passait devant la lune et l'obscurité envahissait tout ce qui l'entourait. Il faisait alors encore plus froid et humide, mais cela importait peu au père de Zack, qui était heureux de rester là à attendre.

Tout à coup, il crut apercevoir des robes orange se déplaçant au loin. Elles s'approchaient.

Il en compta trois : le moine, Ko Than et Zack. Ce fils, dont il était si fier, venait maintenant vers lui, marchant la tête haute sans détourner son regard du sien.

François Martin se retint de courir. Il avait appris la patience.

Enfin, il l'enveloppa dans ses bras et le serra contre lui.

Le père et le fils restèrent ainsi de longues minutes. Puis, ils marchèrent côte à côte en direction du taxi. Parfois, Zack mettait sa main sur l'épaule osseuse de son père. Parfois, François Martin s'arrêtait et reprenait encore une fois son fils dans ses bras.

Puis, Ko Than, le moine et Zack se glissèrent dans le taxi où les attendait impatiemment Mya.

François Martin ferma la portière en murmurant :

— Bon voyage et à bientôt.

— Merci papa, dit Zack en souriant.

27

Montréal, 9 février 2012

— Zack! C'est toi?

Maude s'était arrêtée devant lui et le dévisageait.

— Tu as sa tête et ses yeux, mais tu es plus grand, plus élancé. Ta peau est plus foncée et tu n'as presque pas de cheveux…

Elle l'examinait de la tête aux pieds en se disant que ce Zacharie Martin était magnifique. Il avait vieilli. Son sourire était devenu mature. Une force semblait jaillir de lui. Ses yeux étaient encore plus beaux qu'avant.

— Oui, c'est moi, s'amusait Zack en la voyant l'observer. Je reviens d'Asie. J'y ai passé presque deux mois avec mon père. Nous sommes revenus il y a quelques jours.

— Mais j'ai essayé de te joindre avant-hier pour la pièce de théâtre…

— Je n'habite plus l'Île-des-Sœurs, lui annonça Zack en passant sa main sur son crâne.

Ses cheveux commençaient à repousser et il trouvait étrange cette sensation de porter quelque chose sur la tête.

Il ajouta en guise d'explication :

— Mes parents se sont séparés.

— Je suis désolée, articula lentement Maude.

— Oh non, c'est mieux comme ça. Je pense qu'ils restaient ensemble à cause de moi, et c'était plutôt du genre infernal chez nous. Maintenant, j'habite la maison de Mme Monarque à Verdun.

— Avec elle ? demanda Maude, surprise.

— Non, répondit tristement Zack. Elle est morte. D'ailleurs, mon père doit venir me chercher tout à l'heure. Nous allons au cimetière pour une visite…

— Et tu étais où, en Asie ?

— Environ un mois et demi au Myanmar et le reste du temps au Vietnam.

— Ça t'a plu, le Vietnam ?

— Je n'ai pas visité grand-chose. Nous sommes surtout restés à Hanoï. Mon père y a aidé un ami à obtenir un visa de résidence temporaire au Canada pour lui et ses deux enfants.

— Ça a marché ?

— Bonjour, l'interrompit Mya en se perchant sur la pointe des pieds pour voir par-dessus l'épaule de Zack à qui il parlait.

— Justement, il était question de toi et de ta famille, dit Zack en faisant un pas de côté pour lui laisser un peu de place.

Il passa affectueusement un bras autour des épaules

de Mya. Elle portait une tuque des Canadiens de Montréal enfoncée jusqu'aux yeux. Habituée de vivre dans un pays chaud, elle était complètement frigorifiée. Le père de Zack l'avait rassurée en lui disant qu'après quelques hivers elle allait s'habituer. Pour le moment, elle s'emmitouflait dans des tonnes de vêtements.

— Maude, je te présente mon amie Mya, dit Zack. Mya, voici Maude, une amie qui joue le rôle principal dans ma pièce de théâtre.

— *Le Piège* ? demanda Mya.

— Oui, c'est ça.

Maude sourit. Mais Mya avait remarqué le nuage de tristesse qui était passé dans ses yeux. Véro, Henri et Étienne arrivèrent juste au bon moment.

— Zack ! Tu es revenu ? lança joyeusement Étienne.

— Pour finir ton secondaire ? ajouta Henri en lui donnant quelques tapes amicales dans le dos.

— Est-ce que tu étais malade ? l'interrogea Véro en montrant du doigt son crâne tondu.

— Non, je n'ai pas été malade, répondit Zack en riant.

— Comment en es-tu arrivé à te faire raser la tête ? demanda Henri, inquiet.

En voyant Zack hésiter, Véro suggéra :

— Tu raconteras ton histoire dans une pièce de théâtre !

— Pourquoi pas ! acquiesça Zack.

Il se tourna vers Henri.

— Pour répondre à ta question : oui, je vais finir mon secondaire. Je veux entrer à l'école d'hôtellerie pour obtenir mon diplôme de chef cuisinier. Après, je voyagerai partout dans le monde pour apprendre à cuisiner toutes sortes de choses que je ne connais pas. J'aimerais créer de nouvelles saveurs. Inventer quelque chose de nouveau.

— Toi… cuisinier ? dit lentement Maude. J'aurais cru que tu deviendrais mathématicien, médecin, chercheur…

— Bof, maintenant, j'ai envie de faire ça. Je crois que j'ai un certain talent pour la cuisine. Quand j'en aurai assez, je pourrai toujours étudier autre chose.

— Et moi je voyagerai avec lui et je ferai des dessins et des aquarelles pour illustrer ses livres de recettes, dit Mya.

— Tu es inscrite à l'école ? demanda Henri curieux.

— J'ai eu la permission d'assister aux cours. Alors, quand j'aurai le droit d'étudier ici, je connaîtrai déjà un peu le programme. Zack m'aide beaucoup. Au Myanmar, les cours étaient donnés en birman. L'écriture de cette langue est différente du français. Le birman utilise une autre sorte d'alphabet.

— Ça ressemble aux caractères chinois, expliqua Zack avant d'ajouter avec un énorme sourire :

— Au fait, nous habitons ensemble à Verdun.

Il s'amusa un moment de la mine surprise d'Étienne et de Maude, puis il spécifia :

— Avec son père, son frère, Ko Than, et mon paternel.

— Ah ! fit Maude, soulagée.

— Le père de Mya va travailler avec le mien quand il aura obtenu la permission du gouvernement. C'est cool de vivre comme ça, tous ensemble. On passe des heures à table à se raconter des histoires. Mya et sa famille nous parlent du Myanmar, et nous, on leur raconte le Québec.

— Cool, admit Henri. Au fait, Zack, pourrais-tu nous donner un coup de main pour la mise en scène de ta pièce de théâtre ? Il ne nous reste plus beaucoup de temps.

— Bien sûr, répondit Zack. Mais j'ai souvent repensé à la construction de la pièce et j'en suis arrivé à la conclusion que ce serait bien d'ajouter quelque chose.

— C'est toi l'auteur, déclara Maude. Qu'est-ce que tu veux ajouter ?

— Si on s'assoyait quelques minutes pour en parler ? suggéra Zack en les entraînant au bout du corridor.

Ils étaient tous assis par terre quand Zack reprit la parole.

— D'abord, on joue la pièce comme prévu. Chaque personnage passe dans la cabine d'essayage et y fait son monologue.

— Monologue parfois entrecoupé des commentaires d'une autre personne, spécifia Maude.

— Oui. Quand tous les comédiens auront exprimé leurs frustrations face à leur corps…

— Joué leur rôle, quoi ! dit Étienne.

— C'est ça, acquiesça Zack. Mais après, j'aimerais qu'ils reviennent à tour de rôle sur la scène avec leurs vêtements de tous les jours. À partir de ce moment-là, ils ne seraient plus des acteurs. Ils improviseraient sur le thème inscrit sur le papier que je leur remettrais dix secondes avant d'entrer en scène.

— De l'improvisation ? s'étonna Maude.

— Oui, chaque comédien se tiendra debout devant le miroir pendant un court moment. Il s'examinera en silence, puis commencera à improviser.

— On aura des sujets d'impro différents ? interrogea Maude.

— Non, tous le même. En fait, c'est une toute petite phrase. Vous attendrez dans la salle insonorisée pour ne pas être influencés par les improvisations des autres. La spontanéité est vraiment importante.

— Et la phrase, c'est quoi ? demanda Étienne.

— Je ne vous le dis pas, chantonna Zack, sinon ce ne serait plus de l'improvisation !

Il se leva en entraînant Mya avec lui.

— Ça vous tente ? lança-t-il en se retournant.

— Oui, pourquoi pas ? répondit Henri.

— D'ac, fit Étienne avec enthousiasme.

— Super bonne idée, s'exclama Maude à son tour.

— J'adore l'improvisation, ajouta Véro. À plus tard !

Mya replaça sa tuque et suivit Zack en sautillant derrière lui. Quand ils furent assez loin pour ne pas être entendus, elle demanda :

— Tu me le dis, le thème de l'improvisation ?

Zack s'arrêta et posa les deux mains sur les épaules de Mya en hochant affirmativement la tête. Il approcha ses lèvres des siennes, les effleurant à peine, puis lui révéla le thème de l'improvisation :

— *Je suis ce que je pense.*

— Super idée ! s'exclama Mya.

Immobile, elle réfléchit un moment puis ajouta :

— Tu sais quoi ?

— Euh, non…

— Il te faudrait un nouveau personnage : une voix qui se faufilerait entre les improvisations. Comme un miroir qui renverrait les mots, mais en partant d'un autre point de vue.

— Je ne suis pas certain de te suivre, répondit Zack, curieux de mieux comprendre ce qu'elle proposait.

— Cette voix en toile de fond exprimerait une autre conception du monde, poursuivit Mya, excitée. Elle donnerait un sens différent aux commentaires de tes comédiens.

— Oui, je comprends. Comme une réflexion philosophique…

— Oui, un peu comme ça, acquiesça Mya. Elle ne porterait pas de jugement. La voix révélerait juste une autre façon de penser. Comme si les mots des comédiens passaient devant une lumière différente.

— Tu penses à la philosophie bouddhiste ? demanda Zack.

— Un peu, admit Mya.

— Et qui serait cette voix ?

— Penses-y, Zack.

Mya laissa s'écouler les secondes en relevant les sourcils et en affichant un sourire énigmatique.

— Voyons, réfléchis, il y a juste une personne qui pourrait tenir ce rôle.

— KO THAN ! s'exclama enfin Zack.

— En effet, Ko Than serait ce personnage fantôme qui traduirait la pensée occidentale en réflexion orientale.

— Bien sûr ! Quelle idée géniale ! ajouta Zack.

Il passa un bras autour des épaules de Mya et l'entraîna vers les casiers.

— En attendant, je t'emmène au lac aux Castors sur le mont Royal.

— Mais… il fait trop froid pour se baigner, se défendit Mya. Il doit bien faire dans les – 30 degrés Celsius, dehors !

— En effet, le lac est complètement gelé ! Ne t'in-

quiète pas, on va passer à la maison pour enfiler des vêtements chauds. Étienne, Maude, Henri et Véro vont nous
rejoindre plus tard.

— Et qu'est-ce qu'on va faire sur ton mont Royal ?

— On va patiner !

— Patiner... C'est quoi, ça ?

— Tu chausses une sorte de bottine munie d'une
lame de métal qui permet de glisser sur la glace et... tu
avances.

— Debout ?

— Mais oui, debout, acquiesça Zack en rigolant.

— Mais je ne sais pas faire ça, se plaignit Mya,
effrayée à la pensée de se tenir debout dans ces étranges
chaussures.

— T'en fais pas, moi non plus je ne sais pas patiner,
répondit Zack en riant. Mais on va s'amuser, tu verras.

— Tu en es certain ?

— Bien sûr ! On fait ça... juste pour le plaisir !

CRÉDITS ET REMERCIEMENTS

Les Éditions du Boréal reconnaissent l'aide financière du gouvernement du Canada par l'entremise du Fonds du livre du Canada (FLC) pour leurs activités d'édition et remercient le Conseil des arts du Canada pour son soutien financier.

Les Éditions du Boréal sont inscrites au Programme d'aide aux entreprises du livre et de l'édition spécialisée de la SODEC et bénéficient du programme de crédit d'impôt pour l'édition de livres du gouvernement du Québec.

Illustration de la couverture : Alain Reno

EXTRAIT DU CATALOGUE

Voyage au pays du Montnoir

Les Carcajous